김수진

'눈이 부시게'를 기억해 주셔서
고맙습니다 ♡

눈이 부시게 2

이남규 · 김수진 대본집

눈이 부시게 2

RHK
알에이치코리아

용어 정리

S#	Scene. 장면. 같은 시간, 장소에서 이뤄지는 행동, 대사, 사건이 나타나는 한 장면을 의미한다.
(D) / (N)	낮/밤. 씬 내의 시간대를 의미한다.
(E)	Effect. 효과음. 주로 화면 밖에서의 소리를 장면에 넣을 때 사용한다.
(F)	Filter. 전화 수화기를 통해서 들려오는 소리.
(O.L)	Over Lap. 오버랩. 현재 장면과 다음 장면이 겹쳐지는 효과. 앞 사람의 대사가 끝나기 전에 시작한다는 의미.
[FLASH BACK]	플래시백. 과거에 나왔던 씬을 불러오는 것. 주로 회상하는 장면이나 인과를 설명할 때 넣는다.
(Na)	Narration. 해당 화면 속의 소리와 별도로 밖에서 들려오는 등장인물의 설명체 대사.
(F.O)	Fade Out. 페이드아웃. 화면이 서서히 어두워지는 기법.
(F.I)	Fade In. 페이드인. 어두웠던 화면이 서서히 밝아지는 기법.
[INS]	Insert. 씬 안에서 다른 씬 삽입할 때. 무언가에 집중시키거나, 특성 부분을 클로스업할 때 사용.
Cut To	씬 내에서 화면이 전환될 때 사용한다.
몽타주	편집된 장면들을 짧게 끊어 붙여서 의미를 전달하는 화면을 말한다.
(ON) / (OFF)	화면 밖의 대사가 화면 안에서 들릴 때 사용. / 화면 밖에서 들리는 대사나 효과음.

작가의 말

김수진

〈눈이 부시게〉가 방송된 지 어느새 4년이 다 되어 갑니다.
요즘처럼 수많은 영상 매체들이 넘쳐나는 시대에
아직도 〈눈이 부시게〉를 기억해주시는 분들이 계신다는 것에
작가로서 놀랍기도 하고, 감사하기도 합니다.

대본집이 발간된다는 소식에 마냥 기쁘기만 하던 제 마음이
거기에 실릴 작가의 말을 써 내려가면서 조금은 무거워졌습니다.
정작 나는 매일을 '눈이 부시게' 살아가고 있었는지….

그해 백상예술대상에서 김혜자 선생님께서 말씀하신
'위로가 필요한 시대'라는 말이 꽤나 절절히 와닿는 날들입니다.
과연 우리는 스스로를 위로하는 법을 배운 적이 있었던가요?
지난 수많은 교과 과정 중 어느 과목에서 그런 걸 가르쳤을까요?
어쩌면 제대로 된 위로의 방법을 배운 적이 없는 우리이기에
스스로에게 위로가 필요하다는 것조차 느끼지 못한 채 살아가고 있는 것 같습니다.

전 〈눈이 부시게〉 마지막 회 엔딩 나레이션의 배경으로 등장하는
일면식 없는 사람들의 모습에 위로를 받습니다.
건널목에서 각자의 중력을 이기고 묵묵히 제 갈 길을 가는 사람들.
너무 행복하지도, 그렇다고 불행하지도 않아 보이는 얼굴들을 보며
꼭 행복해서, 즐거워서가 삶을 유지할 목적은 아님을 깨닫습니다.

태어남과 동시에 주어진 모든 것을 온전히 누리시길,
그리고 '오늘을 살아간' 스스로를 애틋하게 여기시길.
그 하루에 〈눈이 부시게〉가 정말 작은 위로가 된다면
그 또한 저에게 큰 위로가 될 것 같습니다.

인물 관계도

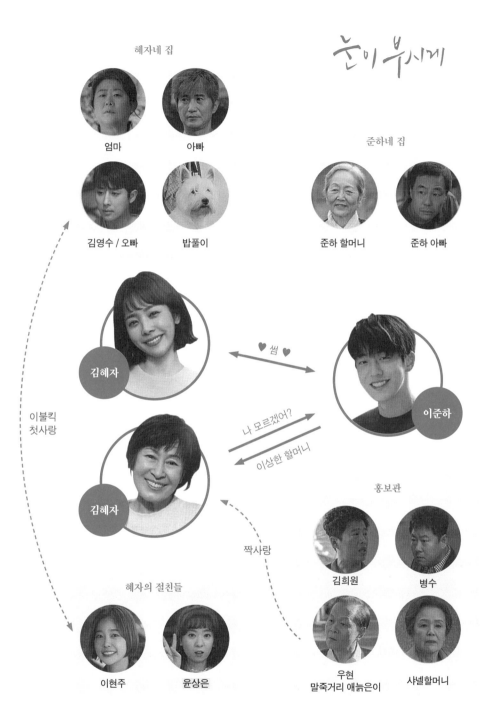

혜자네 집

눈이 부시게

엄마   아빠

준하네 집

김영수 / 오빠   밥풀이

준하 할머니   준하 아빠

김혜자   ♥ 썸 ♥   이준하

이불킥
첫사랑

나 모르겠어?

이상한 할머니

김혜자

홍보관

짝사랑

혜자의 절친들

김희원   병수

이현주   윤상은

우현
말죽거리 애늙은이   샤넬할머니

Episode 7

S# 1   홍보관 (D)

6회 엔딩에 이어서.
혜자, 놀란 얼굴로 초침이 움직이는 시계를 뚫어져라 본다.

혜자   (E) …분명히 …고장 났었는데? 어떻게 움직이는 거지?

혜자, 시계를 보다가 멍하니 앉은 할아버지 쪽으로 시선을 돌리는데

혜자   … 저기….

그때 할아버지 쪽으로 다가온 연아.

연아   할아버지 오늘 2시 반에 약 타러 병원 가신댔죠? 시간 됐네요. (혜자에게)
             잠깐만 지나갈게요. (휠체어 밀고 가버리고)
혜자   (다급) 저기… 잠깐만….
연아   (멈춰 서서 쳐다보는데)
혜자   (막상 멈추니 주저하게 된다) ……
연아   (다시 휠체어 밀고 가버리고)
샤넬   (다가와서) 거봐요. 저쪽에 꽃이나 보러 가요. (혜자를 끌고)
혜자   (멍하니 끌려가며 E) 내 시계가 아닌 건가?…

S# 2   혜자 방 (N)

상은, 매니큐어 여러 개 가져와서는 멍하니 생각에 빠진 혜자 손에 발라주고 있고.
현주는 심드렁한 듯 앉아서 휴대폰 만지작거리고 있는.

상은	(혜자 한 손 다 바르고) **봐봐.** 이쁘제? 요새는 이렇게 다 똑같은 색깔 말고 다른 색도 섞어 바르는기 유행이다 아이가.
혜자	(상은에게 손 맡긴 채 E) ···그냥 비슷한 시계일 수도 있지··· 그래···.
상은	이러니까 시선이 손톱으로 가서 손등에 주름이나 검버섯도 덜 보이···
현주	(팍 치고)
상은	(맹) 아 안 그래도 니도 해 줄라 캤다. 승질은··· 색깔 골라봐라.
현주	난 됐어. 맨날 설거지하고 양파 까는데 매니큐어라고 버티겠냐?
상은	그라믄 발톱. 발톱은 패안타 아이가? (현주 양말 확 잡아 벗기는데)
현주	(발 확 감추며) 야아. 남의 양말을 왜 벗기고 난리야.
상은	야. 이현주. 아가씨 발뒤꿈치가 논바닥도 아이고 그기 뭐꼬? 스타킹 올 다 나가긋네···
현주	(부끄러운 듯 발 감추며) 내가 스타킹 신는 거 봤어? 얼른 양말이나 내놔.
상은	발 줘봐라. 내가 애기 발꿈치 만들어주께. (현주 발 당기는데)
현주	(비키며) 아 됐어. 왜 이래. 저리 꺼져. 아 저리 가라고.

옥신각신하는 현주와 상은 사이에 멍하니 생각에 빠진 혜자

| 혜자 | (그 난리 속 초연한 E) 아니지··· 어차피 이 동네 사는데 내 껄 주워서 고친 걸 수도 있지··· 안 그래? (고민하다가 갑자기 일어나며) 너네 바로 갈 거 아니지? 그럼 나 어디 좀 금방 갔다 올게. (나가고) |
| 현주/상은 | (어리둥절) |

S# 3   동네 빈집 (N)

손전등 들고 시계 던졌던 그 빈 집 아래쪽에서 시계를 찾는 혜자.

혜자	(꼼꼼히 찾으며) 여기쯤이 맞는 거 같은데… 안 보이네. (눈 비비고) 눈이 침침해서 그런가… (그러다 서서 던지는 모션을 해보고 포물선 그려보고는) 이 정도? 아 그땐 옥상이었지. 그럼 저~ 위에서… (말하면서 옥상 보는데)
준하	(언제 왔는지 모르게 이미 옥상에서 맥주를 마시고 있고)
혜자	(물끄러미 준하를 올려다보다가) 이 구도… 구면이지?
준하	(별말 없이 맥주만)
혜자	뭐지 …자체 음소거 모든가?
준하	(신경 쓰고 싶지 않은 듯 맥주만 마시고)
혜자	(일부러 들으라고) 난 뭐 찾을 게 있어서 온 거야.
준하	……
혜자	어우 근데 깜깜해서 그런가, 내가 늙어서 그런가 뭐가 보여야지….
준하	…
혜자	아 어디 이거 같이 찾아 줄 젊은이 없나? 뭐 되게 젊을 필요는 없고 스물 중반… 키는 한 백팔십 육칠 정도로… (준하 쪽 힐끗 보는데)
준하	(여전히 맥주만)
혜자	(너무하다 싶다) 맥주 캔에 파리나 빠져라…. (단념하고 다시 혼자 찾다가) 에이씨!!

S# 4   동네 빈집 옥상 (N)

혜자, 삐걱대는 무릎으로 옥상까지 올라와서는 준하 옆에 털썩 앉고.
준하, 여전히 별 관심 없이 먼 곳을 바라보며 맥주만 마시고.

혜자	(준하가 사 온 맥주 캔 하나 까서는 마시고) 크아!!
준하	(혜자를 쳐다보는데)
혜자	(손등으로 입 슥 닦고) 왜? 할머니가 너무 술을 맛있게 먹어서 좀 멋진가?

준하	… 항상 가까운 사람처럼 구시는 게 이상해서요.
혜자	가깝잖아 우리.
준하	(못 말린다는 표정)
혜자	… 나한테 삐졌나? 그쪽 인생에 감 놔라 배 놔라 해서?
준하	…
혜자	아니면… 혜자한테 삐진 건가? 그쪽한테 아무 말도 없이 떠나버려서?
준하	(살짝 정색 O.L) 제가 여러 번 싫은 내색을 했는데도 계속해서 손녀분 얘길 하시는 의도를 모르겠네요. 혹시 제가 손녀분을 계속 그리워하길 바라시는 건가요?
혜자	(본질을 간파당한) …내 …가?
준하	아니시면 그만해주실래요? 현재 제 상태에 대한 비난도 듣기에 유쾌하진 않고 제 상태가 외국에 간 손녀분과는 더욱 상관이 없어요. 정확히 말씀드리면 손녀분과는 잠깐 지인이었지만 지금은 타인이나 다를 바 없습니다.
혜자	(살짝 상처) …단호하시네… 저기 단호박님! …타인이라도 염려 정도는 해줄 수 있는 거 아닌가요?
준하	(대답하기 귀찮은 듯 자리 정리하려 일어나고)
혜자	… 돌아오면? …혜자가 돌아오면?
준하	(멈칫) …달라질 거 없어요. (맥주 캔을 챙기는데)
혜자	(서운한 듯 준하를 보다가 남은 맥주 털어 마시고 일어나며) …혜자가 들음 서운하겠네. 잘 마셨어. 담엔 내가 한잔 살게. (가고)
준하	(가는 혜자에 시선 줬다가 다시 쓰레기만 챙기는)

S# 5   동네 골목 (N)

혜자, 술기운이 올라오는 듯 약간 휘청대며 걸어가고.

혜자   (잠깐 벽 짚고 섰다가) 아우… 맥주 한 캔에 왜 이러냐. (트림하다가 괜히 울컥)

짜식이… 말을 해도… 똑똑한 것들은 이래서 싫어. 사람이 들으면 제일 서

운하고 상처받을 만한 단어들만 귀신같이 골라서는… 관계니 타인이니….

다시 집 쪽으로 천천히 걸어가는 혜자.

혜자   (걸어가는 뒷모습에) …그래 …내 잘못이다… 다~ 내 잘못이다….

S# 6   혜자 방 (N)

결국 밑에 잡지 깔아놓고 현주 발 붙잡아 겨드랑이에 끼고는 버퍼로 밀고 있는 상은.

현주   (발 빼려) 아 그만해. 신발 벗을 일도 없다고요.
상은   야 이 아가씨야. 이 밑에 쌓인 이 가루를 보고도 그 소리가 나오나?
영수   (방문 열려는 듯 OFF) 야. 김혜자!!

놀란 현주, 발 확 빼면서 상은 걷어차고
영수, 문 벌컥 열고는

영수   뭐야. 혜자는? (하다 발 각질 쌓인 거 본다 그리고 현주 상은 본다)
현주   (긴장하는)

영수, 발 각질 쌓인 걸 손가락으로 찍는다.
그러더니 입으로 쏙.
경악하는 현주, 상은

영수	(진심 섭섭해하며) 늬들끼리만 찹쌀떡 먹고 그래라 치사하게….
현주	(표정)
상은	아까 뭐 일 있다 카믄서 나갔는데…
영수	아씨… 지금 방송 켜야 되는데… 언제 온대?
현주	밤 다 됐는데 곧 들어오겠지. 근데 방송이랑 혜자가 뭔 상관인데?
영수	오늘부터 같이 하기로 했단 말이야… (하다) 상은이 너 오늘 기타 갖고 왔냐?
상은	(한쪽에 놓인 기타케이스 턱짓하는데 코피 찔끔)
영수	그럼 너라도 일단 와봐. 혜자 오기 전에 땜빵이라도 하고 있자.
현주	아 됐어. 우리 집에 갈 거야.
영수	(들어와서 상은 팔 잡고 데려가며) 야 영광인 줄 알어. 자그마치 서른 두 명이나 즐겨찾기 한 내 방송에 나가는걸….

S# 7   영수 방 (N)

컴퓨터 모니터 앞에 앉은 영수.
문 쪽에서 기타 들고 영수 싸인 기다리는 상은과 옆에 떨떠름한 현주.

영수	어서들 오세요. BJ 프린스입니다. 헨젤과그랬대님 어서 오시고… 쌈장법사님도 간만이시네요.
현주	(어이없다. 혼잣말처럼) 프린스래…
영수	어유 대출 김미영실장님도 오셨고. 자 다들 자리들 채워주시구요. 제가 또 오늘 님들을 위해서 아주 어렵게 어렵게 가수 한 분을 모셨습니다.

채팅창 다들 기대하는 분위기.

[우오오오오오!!]

[레알?]

[설마 걸그룹?]

[사랑해요 여자친구]

[우윳빛깔 트와이스]

순간 터지는 별사탕

[원스1기님이 별사탕 100개를 선물했습니다]

영수　　(당황) 아 원스1기님… 별사탕을… 누구일지 알고 벌써 쏘시고… (난감) 아… 오늘 모신 분은…

상은　　(얼른 끼어들어 옆 의자에 앉으며 어색한 서울말) 안녕하세요. 신인 가수 송상은 입니다. 잘 부탁드립니다! 예쁘게 봐주세요~

영수, 순간 끼어든 상은에 당황하고 현주도 괴로운 표정.
순간 조용한 채팅창. 아예 글도 안 올라오고.

영수　　(당황) 님들 당황하지 마세요. 괜찮습니다. 저기… 다들 나가신 거… 아니시죠? (요술봉 꺼내서 뾰로롱) 님들아~

상은　　(분위기 파악 못하고) 어 제가 분위기 띄울 겸 노래 한 곡 해볼까요? (기타 드는데)

영수　　(조용히) 하지 마, 하지 마.

상은　　그럼 시작하겠습니다. 앵콜은 나중에 받을게요~ (기타 치면서 노래 시작하는데)

상은 노래 시작하자 채팅 올라오기 시작하고.

[야 별사탕 100개 환불되냐?]

[사기방송아니냐?]

상은, 계속 노래하는데 채팅 읽은 영수는 안 되겠다 싶은 표정…

현주	(영수에게 얼른 끝내라는 제스춰 보내고)
영수	(난감해하면서 상은 얼른 말리고) 아아~ 네 시간 관계상 이 정도로 하고…
상은	난 시간 많은데… (하다 채팅창 읽으려 하는)
영수	(못 보게 하려는) 아 저기 많이 바쁘신 걸로 아는데 얼른 가보시는 게…
상은	(채팅 읽으며) 저 듣보잡은 대체 뭐임? 좀 꺼지셈…
현주/영수	(!!!!!)
상은	(계속 읽는) 개나 소나 가수라고… 울 집 개도 너보다 잘 부르겠네…
현주	(조용히 부르는) 야… 송상은!! 나와!!
상은	(읽으며) …진지하게 충고하는데… 가수로서의 재능이 1도… 안 보… 임….
영수	(얼른 정리하려) 하하하. 원래 이방이 좀 분위기가 그래서… 그죠?
상은	(갑자기 고개를 툭 떨어뜨리더니 펑펑 울기 시작하고)

상은이 울기 시작하자 현주와 영수 더 놀라고.
현주, 아예 카메라 범위로 들어와서 상은을 끌어내리려는 순간

상은	(울먹이며) 감사합니다… 흑흑… 감사해요….
영수/현주	(????)
상은	(엉엉 울며) 그동안 너무 투명인간 취급만 당하다 보니까 이런 악플도 관심 같아서 너무 고마워요…. 회사 연습실에서 하루종일 노래를 해도 아무도 들어주지도 않고… 진짜 악평이라도 좋으니까… 내 노래를 들어줄 사람이 필요했어요 진짜….

채팅창 갑자기 조용한 분위기.

그리곤 툭 올라오는 채팅

[···힘내세요.]

상은 (채팅 보고 다시 울음 터지는) 감사합니다. 힘낼게요.

그러자 중간중간 올라오는 채팅.

[솔직히 난 그렇게 나쁘진 않았음]

[나도]

[미투]

상은 (눈물 닦고) 아니에요. 욕하셔도 감사해요. 진짜예요.

현주 (그런 상은이 안된 듯 눈가 촉촉해져서 보는데)

영수 (의외의 전개에 좀 당황한 듯 채팅창 보다가 채팅 읽으며) 3분가래님 '노래가 잘못

했네. 다른 노래 없음?' 아 혹시 다른 노래 있나요?

상은 네네. 있어요. 많아요. 밤새도록 부를 수도 있어요.

영수 그건 제가 사양하구요. 뭐 자신 있는 거 하나 불러주세요.

상은 (얼른 휴지로 코 팡팡 풀고는) 자신 있는 거··· 아!! (생각난 듯 기타 치며 노래)

상은의 고즈넉한 노랫소리.

S# 8 몽타주 (N)

상은의 노랫소리 B.G.M으로 깔리며

빈집 옥상

여전히 옥상에 앉아 멍하니 먼 곳을 바라보고 있는 준하 모습.

동네 골목

터덜터덜 동네를 걸어오는 혜자 모습.

S# 9   혜자 집 외경 / 혜자 방 (N)

혜자, 방에 덩그러니 누워 있고.
잠이 안 오는지 뒤척이는데 영수 방 쪽에서 킬킬대는 소리가 난다.
혜자, 옆으로 누워서 귀를 막아보려는데 잘 안되는 듯
결국 벌떡 일어나는.

혜자   (짜증 나서) 에이씨!! (영수 방 쪽으로)
영수   (E) 별사탕 백구 개 감사합니다! 왈왈왈! (리액션 중인데)

S# 10   영수 방 (N)

여전히 방송 중인 영수. 벌컥 문 열리며 혜자 소리치고.

혜자   그만 좀 짖어! 잠 좀 자자! 잠 좀!

그러자 카메라에 걸린 혜자 모습에 폭발적 반응!

　　　　[컨셉충 할미다!!]

[끝판왕 등장하심!]

[기다렸다구.]

영수   자! BJ 프린스의 2부 방송! 여러분들이 기다리고 기다리셨던 지옥에서 온
       25세 김혜자 님을 모시겠습니다! (혜자 데리러 일어나고)
혜자   모시긴 뭘 모셔!
영수   (혜자 끌고 가며 조용히) 구대일. 분명히 협조하기로 했잖아. (혜자를 자기 의자
       에 앉히고 자기는 옆에 있던 박스 끌어다 앉) 아우 할미몬님 별사탕 감사합니
       다. (혜자에게 리액션하라고 요술봉 쥐어주자)
혜자   (귀찮은 듯 대충 요술봉 흔들며) 그래. 고맙다 할미몬아. 뾰로롱이다 아주.

그때 채팅 올라오기 시작하고.

[진짜 스물다섯 맞음?]

혜자   (눈 가늘게 뜨고 채팅창 읽으며) 진짜 스물다섯… 아 몇 번을 말해야 되냐? 진
       짜 민증 까? 까서 여기 나보다 나이 많은 놈들은 다 별사탕 쏘기 해? 콜
       콜?

[나 27살이다]

[난 44살]

[난 73년 소띠]

혜자   그래서 뭐?

[오빠라고 불러다오]

[오빠라고 부르면 58개]

영수   (쿡 찌르는)

혜자   (상냥하게) 오빠~

별사탕 58개 터지고.

영수   토이크레인님 오빠 개 감사합니다~

         [와 자낳괴 할미몬. 자본주의가 낳은 괴물.]

혜자   해달라며? 자꾸 이런 식으로 어그로 끌면 나 간다~

영수   (말리며) 자자 간만에 Q&A 코너 한번 갈까요? 개인정보, 쓰리 사이즈, 군
         대 얘기, 축구 얘기, 똥 얘기, 군대에서 축구하다 똥 싼 얘기 금지구요.

         [갑자기 늙었다면서요. 할머니 되니까 어때요?]

영수   자 삐뿌빠뿌쭈뿌님. 갑자기 늙었다면서요. 할머니 되니까 어때요?

혜자   (팔짱 끼고 채팅창 보다가) … ×같애.

         [ㅋㅋㅋㅋㅋ]

         [80년 묵은 사이다]

별사탕도 터지고…

영수   (혜자 대답에 흠칫) 아 네. 들으셨죠? 꽃 같다고… 혜자님 (혜자 보며 신경 쓰라
         는 표정) BJ 프린스는 항상 방송 규정을 준수합니다. 운영자님 보고 계시죠?

혜자   (무시하고 채팅창 읽으며) 그럼 할머니 되면 좋은 건 1도 없나요? 좋은 거
         라… 있지. 많지.

영수 어떤 게 있을까요?

혜자 늬들 취직 못해서 다들 맘고생 하는데… 그럼 늙어. 나처럼. 그럼 암것도 안 해도 주변에서 취직하란 말 안 해. 뭐 써주는 데도 없고.

영수 (원하는 대답이 아니자) 그런 거 말고…

혜자 (또 채팅창 읽으며) 이번에 입사했는데 야근도 많고 부장도 괴롭혀서 힘들어요. 늙어. 늙으면 일 안 해도 돼. (또 읽고) 여친이랑 헤어졌는데 너무 힘… 늙으라고. 늙으면 여친 없어도 안 힘들어. 내 몸이 힘들지. 또 뭐? 암 것도 안 해도 돼. 뭐 방구석에 앉아서 죽을 날만 기다리면 되는데 얼마나 편해.

　　[……]

　　[웃을 수가 없다.]

　　[……]

　　[갑분싸]

영수 (분위기 전환하려) 자~ 노래 한 곡 듣고 갈까요?

혜자 물어봐서 대답했는데 왜 다들 말이 없어.

　　[당장 늙을 방법이 없는데요?]

혜자 당장 늙을 방법? 그럼 방법만 알려주면 진짜 늙을래? 그럴 자신은 있고?

채팅창에 올라오는 채팅이 없고.

혜자 수업 시간에 엎드려 자던 늬들은 꿈결에 들은 적 있을 수도 있겠지만…. 등가교환의 법칙이란 게 있어. 세상은 이 등가교환의 법칙에 의해서 돌아가. 등가 뭐시기가 무슨 말이냐. 물건의 가치만큼 돈을 지불하고 물건을 사는 것처럼 뭔가를 갖고 싶으면 그 가치만큼의 무언가를 희생해야 된다 이거야. 늬들 수준 생각해서 누나가 엄청 쉽게 설명한 거다. 이거 못 따라오면 버리고 간다.

[오키]

[뭐임? 나 교육방송방 잘못 들어옴?]

[설명충]

[듣기싫음 꺼지던가]

[ㅇㅈ]

[동의보감]

혜자   당장 내일부터 나랑 삶을 바꿔서 살 사람? 내가 취직도 안 되고, 빚은 산더미고, 여자 친구는 안 생기고 답도 없고 출구도 없는 니네 인생을 살 테니까 니넨 나처럼 편안히 주는 밥 먹고 지하철에서 자리 양보도 받고 하루종일 누워 있어도 되는 내 삶을 살아. 어때? 상상만 해도 소름 끼치지? 본능적으로 손해라는 느낌이 빡 오지?

[진짜 상상했다 ㅎㄷㄷ]

[하나도 안 무섭네 뭐. 팬티 좀 갈아입고 올게요.]

[ㅎㄷㄷㄷㄷ]

혜자   열심히 살든 니네처럼 살든, 태어나면 누구에게나 기본옵션으로 주어지는 게 젊음이라 별거 아닌 것 같겠지만… (살짝 감정이 올라오는) 나를 보면 알잖아. 니들이 가진 게 얼마나 대단한 건지. 당연한 것들이 얼마나 엄청난 건지….

영수   (조용히 끄덕끄덕)

혜자   이것만 기억해봐. 등가교환. 거저 주어지는 건 없어.

영수	(얼른 옆에 있던 종이 끌어다가 메모하는) 등… 까… 교…
혜자	(영수 보고) 등가. 쓸 때는 까가 아니고 가 가…
영수	(얼른 지우고 다시 쓰는) 등.가.
혜자	(채팅창 멍하니 보며 뭔가 씁쓸한 표정 짓다가)

[INS]

할아버지가 차고 있던 시계

혜자	(E) 내 시계가 맞을지도 몰라… 확인해야 돼.

S# 11   혜자 집 외경 / 혜자 집 거실 (D)

아빠, 식탁에 있고 엄마, 반찬 갖다 놓는데
그때 방에서 나갈 채비 하고 나오는 혜자.

아빠	아침부터 어디 가게?
엄마	(국 퍼서 나오며) 밥 먹어야지.
혜자	저기 뭐 좀…. (하다 일단 앉아서 국에 밥 막 말고)
엄마	뭐 급한 일 있어? 얘기해 내가 갔다 오께.
아빠	(뭔 일인가 싶어 보는데)
혜자	(국에 만 밥을 입에 쑤셔 넣고) 아냐. 내가 가야 돼. (대충 먹더니 물 마시고는 일어나 나가는) 다녀오겠습니다~

혜자 쪽 보다가 다시 말없이 밥만 먹는 아빠와 엄마.

아빠	(할 말 없으니까) …그 손목 아픈 건….

엄마	(O.L) 하던 대로 해. 괜히 할 말 없으니까 내 걱정해주는 척하지 말고.
아빠	…
엄마	(좀 심했나 싶어 말 걸려다 그만두는)

너무나 조용한 밥상 그림.

S# 12   동네 어귀 (D)

초조하게 기다리고 서 있는 혜자.

혜자	너무 일찍 나왔나? (멀리 차를 찾는데)

저 멀리 준하가 운전하는 봉고차가 보이고.

혜자	여기! (손들어 흔드는데)

그런 혜자를 지나쳐 가는 준하의 봉고차.

혜자	(뻘쭘. 손 안 든 척) 뭐야? 못 봤나?

그때 다시 돌아서 혜자 쪽으로 오는 봉고차.

S# 13   봉고차 안 (D)

혜자 '끄응차' 소리 내며 조수석에 올라타고.

준하	… 원래 저 밑에 먼저 돌고 오는 게 순서라서 지금 타시면 한 바퀴 도셔야
	돼요.
혜자	… 빨리 홍보관부터 가주면 안 될까?
준하	다른 분들도 타셔야 해서….
혜자	이렇게 부탁해도? (손 모으고 슈렉 고양이 눈)
준하	(표정 변화 없이 보는데)
혜자	(바로 풀고) 알았어. 닥치고 있으께.

운전하는 준하와 앞만 본 채 아무 말 없는 혜자.

준하	(운전하며 툭) …잘 지낸대요?
혜자	(시선은 전방에만) 누가?
준하	(여전히 운전하며) …손녀딸이요.
혜자	(다른 생각하다 보니 순간 멍) 누… 아! 혜자! 어 우리 손녀지. (하다) 타인이
	라며?
준하	타인끼리도 안부 정도는 물을 수 있죠….
혜자	… 돌아올 거야 곧. (뭔가 약간 의지가 느껴지는)
준하	(무슨 의민가 해서 혜자를 보는데)
혜자	… 가능해
준하	(이해 못 하겠단 표정)

그때 봉고차 기다리고 선 노인들 모습 보이자 차를 세우는 준하.
차에 올라타는 다른 할머니. 준하와 혜자 말 끊어지고.

S# 14 홍보관 외경 / 홍보관(D)

홍보관에 도착해서 직원들과 인사 나누는 할머니 할아버지들.
그런 노인들 사이를 헤치며 들어오는 혜자.
혜자, 그 할아버지를 찾는 듯 두리번거리는데

우현	(미소 지으며 나타나) 이런 이런… 벌써 저에게 중독되…
혜자	(우현 얼굴 밀어버리고 할아버지를 찾는 시선)

그때 창가 쪽에 여전히 앉아 있는 할아버지 발견.
할아버지 손목에 살짝 보이는 시계.

혜자	(할아버지에게 다가가서) 오늘은 날씨가 꽤 따뜻하네요.
할아버지	(여전히 대답 없이 창밖만)
혜자	저기… 할아버지. 그 시계 어디서 나셨어요?
할아버지	……
혜자	혹시 괜찮으시면… 제가 잠깐 봐도 될까요?
할아버지	(여전히 시선은 창밖인데 시계를 옷 안으로 스윽 감추는)
혜자	(!!! E) 분명히… 뭔가 있어. (ON) 저기 실은 제가…
샤넬	(다가와서) 언제 왔어요? 아까 차 탈 때 없길래 한참 찾았는데….
혜자	아… 좀 일찍 나와서…. (하지만 시선은 자꾸만 할아버지 쪽으로)

S# 15 홍보관 식당 (D)

준하, 식당에서 배식받는 노인들 도와주고 있는데
그 와중에도 후식으로 나온 요구르트 몸빼에 챙겨 넣는 할머니.

준하   (난감) 할머니….

몸뻬   (눈 찡긋하며 요구르트를 몸뻬에 또 챙기고)

쌍둥이 할아버지들, 식판에 배식해주고

준하   (시각장애 할아버지 오자 직접 밥 떠드리고) 제가 해드릴게요.

시각장애할   고맙수.

준하, 시각장애 할아버지 챙겨드리고 있고
그 옆 단순할머니, 식사하시는데 마치 나무늘보처럼 천천히 움직인다.
혜자, 양손에 식판 들고 준하 앞으로 오는데.

준하   (혜자 보면)

혜자   하나는 저 휠체어 할아버지꺼야.

준하   (창가 쪽에 앉아있는 할아버지 보고는) 제가 갖다 드릴게요.

준하, 혜자 식판과 할아버지 식판 두 개를 들고 자리로 가고.
혜자, 할아버지 옆에 자리 잡고 앉고는 수발 준비.

준하   제가 할게요. 식사하세요.

혜자   아냐. 내가 할게. 가서 일 봐. 할아버지 식사하시기 전에 목만 좀 축일게
             요. (물 먹여주고)

준하, 자기 자리로 돌아가며 그런 혜자를 본다.
할아버지 옆에 앉아서 밥을 떠먹이면서
대답 없는 할아버지에게 뭔가를 계속 얘기하는 모습.

S# 16   홍보관 (D)

홍보관 요리 수업 시간. '카레 만들기' 적혀있고.
요리선생님을 따라 끝이 뭉툭한 칼로 재료를 써는 할머니 할아버지들.
할아버지 옆에 앉은 혜자, 여전히 할아버지 손목에 찬 시계만 눈에 들어오고.
할아버지, 손에 칼만 쥔 채 멍하니 앉아 있고.

혜자   (할아버지 손잡고) 자 할아버지. 당근을 이렇게 잡고 써시면 돼요. 제가 도와
            드릴게요.
할아버지   …
혜자   (계속 할아버지 시계가 눈에 들어오고) 할아버지… 이 시계… 할아버지 꺼 아
            니죠?

그 순간 항상 멍하던 할아버지 눈의 초점이 또렷해지며 혜자를 향하고.

혜자   (!!) 그죠? 이거 할아버지 꺼 아니죠? 이거 제 꺼죠? (가까이 보고 확인하기 위
            해 시계에 손을 대는데)
할아버지   (격한 반응! 칼 든 손을 막 휘두르고)
혜자   (놀라서 물러서며) 엄마!!

할아버지가 난리 치자 주변 노인들도 놀라고.

노인들   뭐야…/왜 저런데?/ 아니 맨날 앉아만 있던 양반이…
혜자   (놀라서 할아버지를 보는데)
할아버지   (자신을 보는 혜자 시선을 피하는 듯한)
병수   (소리 듣고 달려와서는 할아버지 잡고) 어허 왜 이러실까. 칼 놓으시고.
할아버지   (호흡곤란이 오는지 거친 숨소리)

병수   할아버지. 괜찮으세요?

할아버지 쓰러지고
그때 달려오는 홍보관 직원들.

준하   무슨 일이에요? (할아버지 상태 보고) 연아 씨! 호흡기! 빨리!!
연아   네네. (달려가고)

혜자, 할아버지 상태에 자기도 놀라 멍하니 멈춰 서 있고.
연아에게 호흡기 받아서 응급처치하는 준하.
잠시 숨 돌리던 준하, 한쪽에 놀라 멈춰 서 있는 혜자를 보는.

S# 17   혜자 집 외경 / 혜자 집 거실 (N)

혜자, 힘이 빠져서 집으로 들어오는데 영수 기다리고 있고.

영수   야야. 오늘 방송 컨셉 내가 생각해봤는데…
혜자   (손 내저으며) 됐어. 좀 누울래.
영수   아 누워서 할래? 할매눕방 괜찮네? (끌고 방으로)
혜자   (끌려 들어가며) 아 피곤하다고오! 쫌!!

S# 18   편의점 + 영수 방 (N)

현주, 상은이 알바하는 편의점 뒷자리에 앉아서
음료수 마시며 이어폰 꽂고 휴대폰으로 영수 방송 보고.

진짜 혜자는 드러누워 있고 영수만 컴퓨터 앞에서 떠들고 있는.

현주   (피식) 이건 또 뭔 컨셉이래?

그때 상은, 물건 채우며 뒤쪽으로 오자 슬쩍 휴대폰 감추는 현주.

상은   뭔데? 뭔데 혼자 실실 쪼개가미 혼자 보는데?
현주   웃긴 누가? (그때 손님 들어오자) 야 손님 왔다 손님.
상은   (계산대로 가며) 어서 오세요.

현주, 다시 휴대폰 꺼내서 영수 방송 보는데
채팅창에 올라오는 악플.

      [얼마나 ×신이면 할머니 팔아서 별사탕 구걸하냐. 한심한 새끼/ 헬조선폭팔]

현주   (욱해서) 이 새낀 뭐야. (아이디 보며) 헬조선폭팔? 닉넴만 봐도 사회에 불만
      많은 찌질이구만…. (현주 휴대폰으로 채팅 입력하고)

      [누가 누구보고 한심이래? 이거 보는 놈도 노답인건 마찬가지/ 뿌까]
      [뭐임 왜 혼자 발끈? 프린스 저 새끼랑 아는 사이?/ 헬조선폭팔]

현주, 채팅 읽더니 피식하며 재빨리 타자 입력하고.

      [님이야말로 왜 혼자 발끈? 닉언급 없었는데 한심이란 말에 자동반응 뭐임?
      ㅋㅋ/뿌까]
      [와 싸움이다!]
      [오늘은 이거다!]

영수   (댓글 읽다가 분위기 안 좋은 것 같자) 어어? 형님들 분위기 왜 이래요? BJ 프 린스는 평화로운 방송을 지향합니다. 자 화합의 시간. 다들 옆에 있는 분 들과 손잡으시고. (혜자 손잡으려는데 뿌리치고) 손에 손잡고~

현주, 아직 화 안 가신 듯 냉장고로 걸어가서 1.5리터 생수통 꺼내 원샷하고.

상은   (보고 감탄 박수 짝짝하고는 손 내밀며) 손님. 계산하셔야죠?

S# 19   동네 전경 / 홍보관 (D)

혜자 홍보관 곳곳을 돌아다니는 모습.
근데 그 할아버지 모습이 안 보이고.

혜자   … 안 오셨나?

혜자, 할아버지 찾아보러 가려는데 서서 수군거리던 노인들 얘기가 들린다.

단순   이 나이에 안 보이믄 뭐 하나밖에 더 있나? 소풍 끝난 거지 뭐…
몸뻬   차라리 잘된 거지. 맨날 그 바퀴 달린 의자에 앉아서는 숨만 쉬지 송장이 랑 뭐가 달라?
혜자   (헉) …그 휠체어 할아버지… 돌아가셨어요?
할머니2   이 나이 땐 내일도 장담할 수 없는 기다… 어제 숨 꼴딱꼴딱하는 거 봐라.

혹시 자기 때문인가 싶은 혜자, 불안한 눈빛으로 어디론가 달려가고.

S# 20   홍보관 사무실 (D)

사무실에 있던 준하, 서류 정리하다 보험가입 서류에 수혜자란이 빈칸인 한 장을 발견.
그때 콧노래 부르며 외제 차 브로서 넘겨보며 들어오는 병수.

준하   (보험가입 서류) 이거… 박 팀장님 글씨죠?

병수   (흘깃 보고) 아. 진짜 그거 하나 쓰는데 하루종일 걸렸네. 누가 물어보지도
            않은 1·4후퇴 때 얘길 얼마나 해대는지…. (서류 받아 가려는데)

준하   (서류 안 주고) 근데 왜 수혜자란이 빈칸이에요 이거?

병수   (!!) 아 그거… (연기) 안 적혀있어요? 아 깜빡했네… (힘줘서 서류 가져가면
            서) 실수라고.

준하   (뭔가 찜찜하게 병수를 보는데)

그때 사무실로 정신없이 들어온 혜자.

혜자   그 저기 그 몸 불편하신 할아버지. 연락 해봤어?

준하   연락이요?

혜자   (다급) 오늘 안 왔잖아. 뭐 안 좋은 일이라도 있는 거 아냐?

병수   (대수롭지 않게) 그분 원래 지지난달에도 한 달 정도 안 나오셨어요. 워낙
            상태가 오락가락하셔서.

혜자   그런 분이면 더 신경 써야 되는 거 아니에요? 어제 일도 있는데?

병수   (황당하다는 듯) 우리가 왜요. 가족도 안 하는걸….

준하   (혜자에게) 무슨 일 때문에 그러시는 건데요?

혜자   그 할아비지 주소 이디야? 그 인적사항 적는 데 있을 거 아냐.

병수   못 알려드립니다. 개인정보라…

혜자   그놈의 개인정보. 지금 사람이 소풍을 끝내니 마니 하는 판에!!
            (씩씩대며 나가버리고)

병수	저 할머니도 상태 안 좋으시네… 보험은 드셨나?
준하	(그런 병수 노려보는)

S# 21   동네 일각 (D)

바쁜 발걸음으로 동네를 다니는 혜자 모습.

할머니1	(E) 몰라. 맨날 내가 타믄 이미 타고 있어가….
몸빼	(E) 그 굴다리 들어가기 직전이던가… 그 앞이던가에서 한번 본 적은 있는데….

혜자, 동네에 나와 있는 할머니들에게 할아버지 인상착의 설명하는데
할머니들 모르는지 고개 젓고.
혜자, 무릎 아픈지 두드리면서도 계속 물어보고 다니는데
편의점 앞에 경찰차 세워놓고 커피 마시고 있던 경찰들과 마주치는.
하필 예전에 혜자를 집으로 데려다줬던 그 경찰이고.

경찰	(뭔가 혜자가 이상하다고 생각한 듯 유심히 보는데)
혜자	(경찰에게 다가와서) 구일은 구, 구이 십팔, 구삼 이십칠. 브라질의 수도는 브라질리아!
경찰	(???)
혜자	나 멀쩡하다구요. 길 잃은 거 아니라고. 그때도 아니었고!
경찰	(머쓱하게 웃는) 에이 어머니 누가 뭐랬다고 하하하. 어우 어머니 기억력 좋으시네. 나도 몰랐어. 브라질리아.
혜자	거 웃지만 말고 만난 김에 누구 좀 찾아줘요.
경찰	(???)

S# 22　경찰서 안 (D)

혜자, 경찰서 한쪽에 편안히 앉아 있는데 커피 건네는 경찰.

경찰　(난처) 어머니. 이름도 모르시는 분 주소를 어떻게 알려드려요. 그리고 설령 이름을 안 대도 가족분 아니시면 주소는 못 알려드려요. 그랬다간 우리도 잡혀가요.

혜자　누가 나 좋자고 알려 달래요? 다 설명했잖아요. 그 할아버지가…

경찰　(지겨운 O.L) 몸이 원래 불편하신데 오늘 안 나오셔서 걱정돼서 그런다. 할머니 말씀대로 상태가 안 좋으신 거면 가족들이 병원으로 모셨겠죠.

혜자　독거노인일 수도 있잖아요!

경찰　에이 누군가 도와주니까 그 정도 거동을 하시는 거겠죠. 그래도 말씀하신 게 있으니까 동네 순찰은 한번 돌아볼게요.

혜자　됐고. 어차피 형식뿐인 순찰 내가 할 테니까 주소 알려줘요. 알려주기 전까진 한 발짝도 안 움직일 거야. (팔짱 끼고 버티는)

S# 23　경찰서 밖 (D)

건장한 경찰 둘에게 양쪽에서 달랑 들려서 경찰서 밖으로 나오는 혜자.

혜자　(다리 버둥버둥) 아 놓으라고!! 내가 꼭 알아야 된다니까?!!

경찰　(혜자 내려놓고) 조심히 들어가세요. 할머니.

혜자　(히탈한 듯) 이… 용썼더니 힘만 빠졌네….

그때 옆쪽으로 죽 늘어선 자판기들이 보이자 혜자 주머니 뒤지며 다가가고.

혜자   (자판기에 동전 넣으며) 아 어디서 찾냐 그럼… (그러다 동전 하나 떨어지고) 아

                무릎도 아파 죽겠는데 이게 왜 떨어지고 지… 에효…

혜자, 뚜둑대는 무릎으로 천천히 굽혀서 동전을 주우려는데
잽싼 손놀림으로 그 동전을 주워 건네는 누군가…

혜자   아 고맙습니…!!! (동전을 건네는 그 손목에 그 시계가 보인다!! 혜자 고개 들고) 어?

혜자에게 쓱 미소 짓고 자리를 뜨는 남자, 분명 그 할아버지다.

// 늙은 할아버지와 40대 남자 얼굴 교차되고

혜자   (E) 맞아!! 그 할아버지!! 뭐지?

[FLASH BACK]
할아버지 손목의 시계

혜자   (E) 시계!! 그래 시계를 돌린 거야!!

당황스러워서 멈춰 서 있는 혜자.
그 사이 40대 그 할아버지는 걸어서 경찰서를 빠져나가는데
마주친 경찰들이 할아버지에게 거수경례를 하고.

혜자   (그제야) 저기요!!! 할아버지!! (허위허위 따라가는)

S# 24   거리 일각 (D)

앞서 성큼성큼 걸어가는 그 할아버지.
혜자, 열심히 할아버지를 따라가려는데 역부족이고…

혜자   (무릎 통증) 아아… 무릎… 지금 아프면 안 된다. 진짜… (그래도 따라가고)

그때 혜자 앞을 가로막는 트럭. 트럭이 사라지자 감쪽같이 사라진 그 할아버지.

혜자   (우왕좌왕) 뭐야. 어디로 간 거야. (안타까운 듯 이쪽저쪽 돌아보는)

S# 25   동네 골목 (D)

아까 무리한 듯 무릎이 아파 쉬엄쉬엄 걸어오는 혜자.

[FLASH BACK]
젊어져서 멀쩡한 다리로 걸어가던 할아버지.
휠체어 탄 홍보관 할아버지와 오버랩 된다.

혜자   (E) 역시… 시간을 돌린 거야… 그래서 늙은 거야… 나처럼… 그 얘긴… 할아버지만 찾아서 내 시계를 돌려받으면… 기회가 있어. 다시 돌릴 수 있어. (하다 ON) 아!!

갑자기 발에 느껴지는 통증에 혜자 신발을 벗어보는데
새끼발톱에서 피가 나다가 이미 굳은지 오래다.
정신없이 그 젊어진 할아버지를 따라가다가 발이 까진 것도 모른 듯.

S# 26   혜자 집 외경 (N)

여전히 불이 켜져 있는 미용실 모습.

S# 27   혜자 집 안방 (N)

혜자, 한쪽 발 절뚝이며 안방으로 들어가서 서랍에서 의약품 상자를 찾는데
거기서 나오는 종이 한 장.
이혼서류에 엄마 이름이 적혀있고 엄마 도장까지는 찍혀있는.

혜자　　　뭐야… 이게? 이혼?

그때 방으로 문 열고 들어오는 아빠, 혜자 얼른 종이 숨기고.

혜자　　　(당황해서) 어 아빠 지금 퇴근한 거야?
아빠　　　응. 왜?
혜자　　　아… 발가락 다쳐서 약 좀 바르려고.
아빠　　　(속상한 듯 쳐다보다가 겉옷 벗으며) 조심 좀 하지…. (그리곤 바로 이부자리에 눕고)
혜자　　　안 씻구 자? 엄마한테 또 혼날려고….
아빠　　　… (바로 낮게 코 고는 소리가 나고)

잠든 아빠 모습을 물끄러미 보는 혜자.

S# 28 미용실 (N)

조용히 미용실로 나와 보는 혜자.
손님 없는 미용실에 나지막이 들리는 트로트 가락.
소파에 기대서 눈을 감은 채 트로트를 따라 부르는 엄마.
그러다 목 메이는지 노랫가락이 흔들리고는 조용해지는.

엄마　　　　(혜자가 쳐다보는 걸 느낀 듯 눈 뜨고는) 언제 왔어? 왜 배고파?
혜자　　　　… 아니…, (어쩔 줄 모르겠다. 속상하고 막막하다)

S# 29 영수 방 (N)

혜자, 열 받아서 방문을 열어젖히는데 이제 방송 켠 듯한 영수.

영수　　　　오! 님드…
혜자　　　　(O.L 바로 버럭) 언제 사람 될래?
영수　　　　(어안이 벙벙해서 보다가 조용히) 아… 오늘은 잡들이 컨셉으로 오키. (괜히 더
　　　　　　　오버해서 투정) 아이씨… 뭐어어어어. 왜에에에에
혜자　　　　장난하냐? 언제까지 이러고 살래?

채팅창 반응 폭발적이고

　　　　[ㅋㅋㅋㅋ]
　　　　[오늘은 등짝각이다!]

영수　　　　(채팅 반응 좋자 힐끗대며 조용히) 야 좀 더 세게 해봐. 등짝도 좀 때리고 얼른!!

혜자	(화나서 부들부들 떨다가 컴퓨터 전원선 빼버리고)
영수	(놀라서) 야!! 이걸 끄면 어떡해!! 아 진짜!!
혜자	내가 이 모양이면 너라도 정신 차리고 효도할 생각을 해야지!
영수	그래서 방송하자고 한 거잖아!!
혜자	그게 계획이냐? 늙은 동생 아니면 하루에 천원도 못 버는 게?
영수	(확 자존심 상한) 야… 너 말이 좀 심하다?
혜자	내 말이 심한 건 알면서 니 꼴이 심한 건 모르냐? 내가 너 때문에 어떤 생각까지 했는지 알아? 생명보험이라도 하나 들을까… 그럼… 그게 우리 집 장남 대신 우리 아빠엄마 노후 대비라도 되진 않을까….
영수	(혜자 말에 좀 충격받은 듯) …
혜자	방에 처박혀서 모니터만 보지 말고 집안 돌아가는 꼴을 좀 봐. 제발… (나가버리고)
영수	(자존심에 심한 상처를 받은 듯한 표정)

S# 30   중국집 주방 (N)

주방에서 양파 까며 휴대폰으로 방송 보던 현주.

현주	(휴대폰 계속 새로고침 하며) 뭐야. 진짜 꺼진 거야?

방송은 꺼졌는데 여전히 채팅창은 활발하고.

　　　[뭐임? 방종임?]

　　　[컨셉질이겠지 또.]

　　　[오늘 컨셉 오지구요.]

현주   아주 가지가지 한다. 김영수….

그때 또다시 올라오는 악플.

> [이 새끼 악질이네. 실컷 별사탕 받아 챙기고 방종이 뭐야…/헬조선폭팔]

현주   (열 받은) 이 새끼가 또… (손가락 뚜둑뚜둑 풀고 채팅)

> [진짜 일 생긴 걸 수도 있지/ 뿌까]
> [맨날 집안에 처박혀있는 백수잉여새끼가 뭔일이 생기냐. 뒈지는거 밖에/ 헬조선폭팔]
> [헬조선 또 선 넘네? 지도 댓다는 잉여새끼주제에/ 뿌까]
> [국립국어원이세요? 지적질 오지구요/ 헬조선폭팔]
> [형이 가르쳐주면 적어. 중2병 티내지말고/ 뿌까]
> [그렇게 똑똑하면 왜 이 프린스새끼 방송 봄? 내셔널지오그래픽 고고/ 헬조선폭팔]
> [너같은 잉여 참교육 시킬려고/ 뿌까]

점점 채팅창에 현주와 악플러 채팅 구경하는 반응들.

> [역시 키보드 워리어들]
> [아가리파이터들 화력 오지구요]
> [야 누가 말로만 싸워. 만나서 싸워야지.]

S# 31   혜자 방 (N)

혜자, 어두운 방에 앉아 거울을 응시하고 있다…
이혼서류, 엄마 아빠, 그리고 준하 모습 컷컷 지나가고

혜자	(E) 이건 기회야. 버린 시계가 다시 나타난 것도, 고장 난 시계가 멀쩡히
	고쳐진 것도 운명이라고… 돌려받을 거야. 원래 내 시계였으니까… (조용
	히 ON) 그래 원래 내 꺼 였으니까… 내 꺼야. 내 꺼라고….

S# 32   동네 전경 (N)

시간 경과. 밤에서 뿌옇게 밝아오는 새벽.

S# 33   안방 (N)

스르륵 열리는 문.
외투에 모자에 장갑까지 나갈 채비를 단단히 한 영수.
침대 위에 잠든 엄마와 바닥에 자고 있는 아빠의 고단한 얼굴을 번갈아 본다.
그리곤 조용히 큰절을 하고 문 닫고 나가고.

S# 34   인력시장 (N)

거칠어 보이는 사람들 사이에 껴있는 영수.
불 켜진 드럼통 주변에 서서 몸을 녹이는 사람들 사이에서 눈치만 보는 영수.
그때 봉고차가 한 대 도착하자 사람들 우르르 그리로 가고.
영수, 뭔지 모르지만 일단 그쪽으로 우르르 가고는 곧 차에 올라타는.

(E) 영수 비명소리

S# 35　　영수 방 (D)

엄마가 방으로 서둘러 들어와 침대 위 정리하면
아빠 부축받으며 한 걸음씩 겨우겨우 떼고 들어오는 영수.

영수	(허리에 손 올린 채) 아… 아악… 아빠… 조심… 으악!!
엄마	이리로… 이리로 눕혀봐.
아빠	(땀 흘리며 영수 내려놓으려는데)
영수	(비명 작렬) 끄아아아아아악!!

겨우 영수를 자리에 눕히는데 영수, 아파서 오만상 다 쓰고 있고.

엄마	(걱정+짜증) 아니 맨날 장롱 아래 먼지처럼 살던 놈이 무슨 바람으로 막노 동판에 가서는… 병원에선 뭐래?
아빠	안 쓰던 근육을 써서 그런 것 같다고. 며칠 누워 있음 괜찮을 거래. (아빠 다리 아픈 듯 주무르고)
영수	(질질 울며) 엄마… 아퍼… 히히힝…
엄마	(확 저걸 죽일 수도 없고 표정)

S# 36　　홍보관 외경 / 홍보관 교육관 (D)

노인들 모여 색칠 공부하고 있다.
혜자, 색칠공부 하면서도 계속 할아버지 쪽에 시선 주는

혜자	(E) 그래… 내 시계만 되찾으면 되는 거야…. 그럼 다 원래대로 돌아갈 수 있어.

연아	자 점심 식사들 하실게요. (그리곤 자연스럽게 휠체어 할아버지 쪽으로 가는데)
혜자	(얼른 휠체어 인터셉트) 제가 할게요. 제가.
연아	아. 그러실래요? (자리 뜨고)
혜자	(긴장된 얼굴로 할아버지 휠체어를 밀고 가고)

S# 37   홍보관 식당 (D)

혜자, 식당 한쪽에 할아버지 자리 잡고 식사 가지러 가려는데

준하	(이미 퍼 놓은 식판 두 개 들고 오며) 여깄어요. 두 분 꺼. (식판 놓는다)
혜자	(계획이 틀어진다) 아니 저기… 내가 해야 되는 건데….

근데 할아버지 앞에 밥 내려놓는 준하를 본 할아버지.

할아버지	(눈 커지며 경악하는) 으어어어어어…
준하	(좀 놀라서) 뭐 불편하세요?
할아버지	(팔 휘저으며) 어어어어어어!!

할아버지 행동에 다들 준하와 할아버지 쪽으로 시선 집중.

연아	(다가와서) 제가 할게요. 팀장님 식사하세요. 할아버지 왜요? 어디가 불편하신데?
준하	(어쩔 수 없이 밀려나 서 있는데 옆쪽에 혜자가 서 있다)

Cut to

연아가 할아버지 옆에 붙어서 식사 시중드는 모습 보이고

한쪽 테이블에 앉아 밥 먹는 둥 마는 둥 하며 그런 할아버지 모습 보는 혜자와 준하.

준하   … 저 할아버지랑 아는 사이예요?

혜자   아니. (그렇게 말하면서도 눈은 할아버지에 가 있고)

준하   자주 할아버지 옆에서 챙겨주시던데….

혜자   불쌍해서… 내가….

준하   (의아한데)

혜자   그리고 너도. 너도 불쌍해서. 기다려. 내가 도와줄게. 아니… 혜자가 도와
         줄 거야.

준하   (또 뭔 소리… 답답하다) 전 됐으니까…

혜자   (준하 똑바로 쳐다보며 팔 잡는다) 도와줄 거라고. 혜자가.

준하   (그런 혜자의 태도에 좀 놀란 듯)

혜자   (할아버지 보며) … 돌릴 수 있어… 진짜야.

[FLASH BACK]
1화 - S# 56

혜자   시간을 돌릴 수 있는 기회! (보석함에서 손목시계 꺼내 보인다)/ 진짜 원해?/
         진짜지? 나중에 딴말하면 안 된다.

// 현재

준하   … 온대요? 혜자…가?

혜자   응.

준하   … 언제 …요?

혜자   곧. (준하를 똑바로 쳐다보고)

준하, 뭔가 혜자의 결연한 눈빛에서 눈을 뗄 수가 없고.
혜자 눈에서 젊은 혜자를 찾는 듯한.

S# 38   홍보관 (D)

낮게 틀어진 TV 소리. 홍보관 곳곳에 잠든 노인들 모습이 보이고.
휠체어에 앉은 할아버지도 잠이 든 듯 눈을 감고 있는데
한쪽 의자에 잠든 것처럼 앉아 있던 혜자, 스르르 눈을 떠 주변을 둘러본다.
다들 잠든 걸 확인하고는 할아버지를 향해 한 걸음씩 다가가는데
그때 할아버지 잠이 깊게 든 듯 손목시계를 찬 손목이 휠체어 밖으로 늘어진다.

혜자   (절호의 기회!! 조심히 다가가고)

혜자, 떨리는 손을 겨우 진정시키며 늘어진 할아버지 손목을 향해 손을 뻗고
시계를 잡아서 천천히 할아버지 손목에서 빼내려는 순간

할아버지   (눈을 번쩍 뜨고 혜자를 보고)
혜자   (놀랐지만 여전히 손은 시계를 빼내려 하고)
할아버지   (저항) 으어어어…
혜자   이거 내 꺼잖아요.
할아버지   (안 뺏기려 저항) 어어어어…
혜자   (점점 광기가 서리는) 내 꺼 맞잖아!! 내 꺼잖아!!

뭔가 소란스러운 소리에 점점 잠에서 깨는 노인들.

할아버지   (괴성 지르는) 으어어어어어…!!
혜자   (시계 빼내려 하며) 내놔!! 내 꺼라고!!
노인들   (놀라) 어머 왜 저래…/ 뭔 일이야?
혜자   (아랑곳 않고 시계에만 집착) 내 꺼야!! 내 꺼라고!!!

소리 듣고 달려온 준하와 병수.

병수   뭐예요? 할머니!! (혜자 거칠게 떼어내고)

혜자   (광기) 놔!! (다시 할아버지에게 달려들며) 내 꺼잖아!!

준하   (그런 혜자를 붙잡고 말리는. 혜자의 행동에 놀란 얼굴)

S# 39   홍보관 사무실 (D)

혜자, 넋이 나간 듯 멍하니 앉아 있는데 손만 꽉 주먹을 쥐고 있고.
준하, 그런 혜자를 보고 있고.

희원   (물컵을 혜자 앞에 내려놓으며) 저기 할머니….

혜자   (O.L) 내 시계라고….

희원   그게 왜 할머니 시계예요

혜자   내가 아니까.

희원   그걸 누가 믿어요. 그게 할머니 시계라는 증거 있어요? 누가 본 사람이라
        도 있냐구요.

혜자   (준하를 똑바로 쳐다보며) 너도 알잖아!! 너도 봤잖아!

준하   (당황스러운데)

희원   (준하에게) 알어?

준하   (기억날 듯 말 듯)

다들 답답해하는데 준하는 그런 혜자를 물끄러미.

희원   할머니. 아무런 증거 없이 남의 물건이 자기 꺼라고 하는 거 그게 절도에
        요. 물론 나이 드셔서 가끔 물욕에 남의 물건에 손대시고 하는 분들이 더

러 있는데… 이러시면 누가 우리 효도원에 오려고 하겠어요. 할머니 무서

워서… 아니 금전적으로 어려우시면.

준하 (희원 팔을 잡으며 그만하라는 시늉) 제가 모셔다드리고 올게요.

희원 (착잡한 표정으로 혜자 쳐다보다가 준하 잡고는 귓가에 뭔가를 얘기하는)

준하 (혜자를 보는)

S# 40 홍보관 복도 (D)

준하, 휘청대는 혜자를 부축하고 나오는데

혜자 몸이 덜덜덜 떨린다.

홍보관 노인들 다들 수군수군.

노인들 그렇게 안 봤는데… 쯧쯧…/ 도둑질이 웬 말이야….

샤넬할머니 (충격받은 표정으로 혜자에게 손을 내밀어서 잡아보려다 그만두고)

준하, 얼른 혜자를 데리고 나간다.

S# 41 공원 (D)

혜자, 멍하니 공원에 앉아 있는데

저쪽에서 음료수 두 개를 사서 걸어오는 준하.

준하 (음료수 건네고) 그냥 들어가면 가족분들이 걱정하실 것 같아서… 진정되시

면 모셔다드릴게요. (혜자가 음료수 안 받자 손에 쥐어주고)

혜자 … 내가 … 도둑질한 걸로 생각하지?

준하	……
혜자	그래… 그렇겠지. 나만 기억하는 거니까….
준하	… 무슨 사연이신지는 모르지만… 이젠 효도원 안 나오시는 게 좋으실 것 같아요.
혜자	(!!!)
준하	그 할아버지랑 같이 계시는 것도 별로 안 좋을 것 같고….
혜자	(눈물 나려는 걸 억지로 참고) … 사장이… 그러래?
준하	… 제 생각도 그래요…
혜자	(설움이 터진다) 어떻게 그렇게 말을 해? 어떻게… 니가…
준하	(피로감) …
혜자	내가… 내가… 나만 좋자고… 그런 줄 알아?
준하	… 저 안 도와주셔도 돼요 할머니. 불쌍하게 생각하지도 마시구요. 매번… (무슨 말 하려다가) … 좀 지치네요, 이제….
혜자	… 되돌려야 하는 일이 너무 많은데… 나 혼자는… 해결할 수가 없어. 시 계 없이는…. (얼굴 감싸고 우는)

준하, 우는 혜자가 안됐긴 한데 뭐라 할 말도 없고 답답하기만.

S# 42   중국집 (N)

현주, 홀에 서빙하면서도 계속 휴대폰 확인하고.

현주	뭐야. 방송할 시간 지났는데 왜 방송을 안 해? 또 처 자나?

그때 문 열리며 피곤한 얼굴로 들어오는 혜자.

현주   (잘됐다 싶어) 야 영수… (하다 혜자 얼굴 보고) 뭐야 얼굴 왜 이래? 울었어?

혜자   (고개 끄덕일 힘도 없는 듯 가만히 있고)

현주   (혜자 끌고) 이리 와.

'예약'이라고 붙어있는 룸 안으로 혜자를 넣고는

현주   (주방 쪽 향해) 아빠 오늘 예약 취소!!

아빠   (OFF) 왜?

현주   (바로 장부 뒤져서 번호 찾더니 전화) 아. 여기 장금성인데요. 죄송한데 오늘 단체 예약하신 거 저희가 못 받을 거 같아서요. 네. 일이 좀 생겨서… 네 너무 죄송합니다. 네 담에 오시면 서비스 많이 드릴게요. 네. (끊고) 후우….

S# 43   중국집 룸 안 (N)

룸에서 상은과 같이 빼갈 마시는 혜자와 현주.
혜자 얘기 다 들은 듯 적잖이 놀란 표정의 현주와 상은.

상은   야 욱수 놀랐겠다.

현주   너는? 너는 괜찮고?

혜자   (감동이다. 피식) 그래도 내 친구들이라 내 걱정부터 해주네…… 사실 나도 지금 생각해보면 왜 그렇게까지 했는지 좀 이해는 안 가… 평소 나였으면 사람들 몰려오고 할아버지가 그렇게 싫어하면 물러섰을 법도 한데….

상은   … 니한테는 그냥 시계가 아이다 아이가….

상은, 혜자 등만 쓸며 아무 말도 못 하고
현주도 뭐라 말도 못 하고 괜한 젓가락만 뜯는데

상은	(위로…) 그냥… 이렇게 살믄 안 되나? 우린 괜안은데….
현주	그래. 우리 괜찮잖아. 예전처럼 이렇게 같이 술도 마시고….
혜자	꼭 나 때문만이 아니고… 모든 게 다 도저히 손댈 수 없이 망가졌어….
	(하다 애들 보고는 피식) 그래. 니들은 이해 못할 거야. 이렇게 무기력하게 늙
	어 보기 전까진….

다시 입을 꾹 다문 친구들.
다시 조용해진 룸 안.

S# 44   포장마차 (N)

준하, 희원과 포장마차에서 술 마시는 중이고.

희원	그 할머니 좀 특이한 줄은 알았지만 아까 달려드는데 와… 무섭더라.
	그 할머니 손녀랑 너가 아는 사이였다며? 연아가 그러던데?
준하	(끄덕끄덕)
희원	사겼어?
준하	…… 아닌… 것 같아. (술 마시는)
젊은혜자	(OFF) 오오… 무지개 무지개

// 젊은 혜자 목소리 들리면서 카메라 옆으로 이동하면 과거로 회상
보면 준하와 젊은 혜자, 기분 좋게 술이 취해 있다.

혜자	(오뎅국물에 기름기 뜬 거 보며) 여기 봐봐… 무지개 떴잖아….
준하	(피식) 그게 무슨 무지개야 기름띠구만.
혜자	거… 참 운치 없기는… (하다 갑자기 극비처럼 전하는) 너 그거 알지? 북극 가

면 오로라 볼 수 있는 거?

준하　(또 뭔 소리지? 끄덕끄덕)

혜자　(안주로 나온 오이와 당근을 기차처럼 늘어놓으며) 나는… 꼭 오로라 보러 갈 거야. 시베리아 횡단 열차를 타고….

준하　(미소) …그래.

혜자　(흐뭇) …내 생각에 오로라는 에라야.

준하　에라?

혜자　에러! 버그라고 작동오류! 전에 어디선가 읽었는데 오로라는 원래는 지구 밖에 있어야 하는 자기장이 어쩌다 보니 북극으로 흘러 들어온 거래…. 그 말인즉슨! 오로라는 조물주가 의도하고 만들려던 게 아니라 어쩌다 보니 만들어진 에라다 이거야.

준하　(자조) 나 같은 거네.

혜자　(O.L) 근데… 너무 아름다운 거야. 그 에라가… 에란데도….

준하　(혜자를 보는데)

혜자　…… 에라도 아름다울 수 있어. 눈물 나게. 난 오로라를 만나는 순간 울 것 같애. (보는 장면 연기) 아… 오로라다…. (바로 눈가에 눈물 그렁그렁) 너무 사랑스러울 거 같애. (그렁그렁한 눈으로 준하를 보는데)

준하　(그런 혜자를 보는 눈)

희원　(E) 야 우리 사업이 잘만 되면 중국도 진출하고… 니하오마 쎼쎼…

// 다시 현재

희원, 사업 확장 꿈에 부풀어 신났는데

준하　형… 나랑 약속한 거 기억나? 나 뭔가 하고 싶은 일이 생기면… 이 일 그만두기로 한 거.

희원　(흠칫) 어? 어… 그랬지… 생…겼어? 하고 싶은 거?

준하　… 아직은… 근데 생기면 바로 떠날 거야.

희원	(서운) 그 그래… 생기면… 생기면 얘기해. (잔 들고 짠 하자는 시늉)
준하	(잔 들어서 건배하고는 술 털어 넣는)

S# 45   영수 방 (N)

영수, 누운 채로 방송 시작하고 있다.
근데 이미 채팅창 열고 자기들끼리 떠들고 있던 사람들.

[오 왔다!!]

[왔다!]

[오늘도 안 오는 줄]

[지각지각지각지각]

영수	아 안녕하세요 님들. 조금 늦었습니다. 제가 실은 허리를 좀 다쳐서 어쩔 수 없이 눕방을 하게 된 점 양해 바라구요.

[이 새끼봐라 다른 컨셉 잡네]

[또 눕방각인가요?]

[그저껜 할머니더니 오늘은 지냐?]

[별 핑계를 다 대네]

영수	핑계 아니구요. 집안에 좀 보탬이 돼보려고 일을 하러 나갔다가 그만….

[뻔하지. 다쳤다 어쨌다 눈물짜고 별사탕 쏴달라 이거지/ 헬조선폭팔]

[진짜 다쳤을 수도 있지/ 뿌까]

[변호사 나셨네. 진짜 다치긴. 저 새끼 숨쉬는 거 말고 구라아닌게 어딨냐/ 헬조선폭팔]

[너 뭐 쟤한테 돈이라도 떼었냐? 여친이라도 뺏겼어? 찌질하긴/ 뿌까]

[뿌까 너는 돈이라도 빌렸냐? 왜 쉴드질인데?/ 헬조선폭팔]

영수 (채팅창 분위기 이상하자) 아 저 형님들 또 싸우시네. 헬 형님, 뿌까형님 저기
    저 때문에 싸우실 필요 없습니다. 자 다시 화합타임. 손에 손잡고~ 벽을
    넘어서~

하지만 이미 과열된 채팅창.

[이벤트 한번 하자. 현피뜰래?/ 헬조선폭팔]

[나오기나 하지? 찌질이 새끼/ 뿌까]

[와 싸움이다!!]

[옥수수 팔러 가도 되나요?]

[나는 버터구이 오징어]

[싸움 R석 두자리 양도합니다.]

영수 (당황) 저기들… 형님들… 다 제가 잘못했으니까 그만들 하시고… 아…
    참….

S# 46 혜자 집 거실 (N)

소파에 옆으로 누워 TV를 보던 혜자, 피곤한 듯 눈을 스르륵 감고.
잠시 후 문 열리는 소리와 함께 들어오는 아빠.
혜자, 아빠인 걸 아는데도 눈뜰 기력도 없고…

아빠 (TV를 끄고는 혼잣말처럼) … 들어가서 자지….

아빠 그대로 화장실 쪽으로 가서는 문턱에 앉아 한쪽 양말을 벗고
나머지 한쪽 양말을 벗으려 바지 한쪽을 들어 올리더니 의족을 벗는다.

혜자	(무심코 보다가 !!!!)
아빠	(혜자가 보고 있는 걸 모른 채 의족을 벗어내며 신음) 으으….
혜자	… 아빠….
아빠	(!!! 혜자 소리에 놀라 돌아보고는 얼른 다리를 숨기고) 어. 안 잤어?
혜자	(천천히 일어나 다가오며) 아빠… 다리가… 왜… 그래?
아빠	(숨기고 싶은데 일어날 수가 없다) 어. 그게… 저기….
혜자	(다가오며) 그냥 삔 게… 아니었어?
아빠	……
혜자	(다가와 털썩 주저앉아 아빠 다리와 벗어놓은 의족을 번갈아 보며) 뭐야… 어떻게 된 건데? 아빠.
아빠	(지치는 듯한 표정 언뜻 보이는)
혜자	(보는데)
아빠	… 그렇게 됐어. 괜찮아.

[FLASH BACK]

2화

아빠 택시를 벽에 부딪치게 했던 모습

혜자	(눈물이 주룩주룩 흘러내린다) 그때… 그때….
아빠	괜찮아. 이제….
혜자	(다리 붙잡은 채 울며) 미안해… 미안해 아빠…. 다 나 때문이야… 미안해… 미안해…. (소리도 못 내고 운다)
아빠	(눈물 어린 눈으로 그런 혜자를 물끄러미 본다)

S# 47　거리 인서트 (N)

혜자　(E) 등가교환의 법칙이란 게 있어. (S# 10)

S# 48　욕실 (N)

혜자, 가는 빗에 말라붙은 염색약을 물 적신 수건으로 문질러 닦는다.

혜자　(E) 뭔가를 갖고 싶으면 그 가치만큼의 무언가를 희생해야 된다고….

잘 닦이지 않는 염색약. 혜자, 손톱을 세워서 긁기 시작하고… 입술을 깨물고.

혜자　(E) 세상은 이 등가교환의 법칙에 의해서 돌아가…

그래도 안 닦이자 점점 더 신경질적이 되는 혜자의 손길.
그러다 툭! 부러져 바닥에 떨어지는 가는 빗.
그제야 혜자, 너무 힘을 준 탓에 덜덜 떨리는 손을 인지하고…

혜자　(Na) 세상의 덧셈뺄셈은 내 생각과 달랐다. 아빠의 죽음과 내 젊음, 꿈, 사랑이 등가라고 생각했던 나는 슈퍼에서 100원짜리 동전 하나로 비싼 과자 선물 세트를 사겠다고 떼쓰는 철부지 아이였던 거다.

혜자, 두 동강이 난 빗을 주워 들고 바라보는

혜자　(Na) 나는 안다. 내가 시계를 돌려 다시 젊어진다면… 그래서 또 세상의 뺄셈으로 뭔가가 희생되어야만 한다면… 난 그걸 견딜 수 없다는걸….

S# 49   혜자 집 외경 (새벽 → 아침) / 혜자 집 주방 (D)

엄마, 잠에서 깬 듯 주방으로 오는데
이미 혜자가 밥도 지어놓고 반찬도 몇 가지 해놨고.

엄마   (이제 잠에서 깬 듯) 뭐해. 내가 일어나면 할 건데.

혜자   (홀가분해진 표정이다) 먼저 일어난 사람이 하면 되지 뭐. 엄마 나 고등어 조
림한 거 간 좀 봐줘. (국물 떠서 먹여주고)

엄마   (먹고는 끄덕끄덕) 고등어가 있었어? 장 안 본 지 오래돼서 반찬 할 것도 없
을 텐데….

혜자   엄마 바쁜데 시장을 언제가. 아침 먹고 치우고 같이 시장 가까? 오랜만에.
왜 나 옛날에 엄마랑 시장 가서 호떡 얻어먹고 했잖아. 갓 부쳐낸 호떡은
사랑입니다.

엄마   … 그래….

S# 50   미용실 (D)

엄마, 미용실 문 열려고 나오는데 말끔히 정리된 모습 보고.
가위를 들어서 보는데 반짝반짝 광나게 닦아놓은.
엄마, 혜자가 했구나 싶은 생각에 집 안쪽에 시선 주는.

혜자   (OFF) 식사하세요!!

S# 51   혜자 집 거실 (D)

엄마, 혜자가 해놓은 반찬 상에다 옮기다가

엄마   또 우리 허리 부러진 장남은 방으로 밥을 대령해야겠네.
혜자   내가 갖다줬어. 엄마 드셔.
엄마   갖다줬어? 빠르네….

그때 씻고 나오는 아빠. 그리곤 어제 일 때문에 좀 더 어색한 듯.

혜자   (평소보다 더 챙기는) 아빠 얼른 앉으셔. 무 넣고 고등어 조림했는데 무가 완
전 달아달아. 얼른 드셔.
아빠   (좀 어색하게 밥 뜨는데)
혜자   (생선 살 좀 발라서 아빠에게 놔주며) 이 정도 뼈는 그냥 드셔도 된대. 다 칼슘
이니까 드셔요. (웃으며 아빠 보고)
아빠   어…. (밥 뜨고)
엄마   … 뭐 기분 좋은 꿈이라도 꿨어? 똥꿈?
혜자   (웃픈) 꿈꿨지… 잠깐이었지만….
엄마   무슨 꿈이었는데?
혜자   … 기억 안 나. (싱긋 웃고는 밥 먹는)

S# 52   시장 (D)

혜자, 엄마랑 같이 다니며 장을 보는데

엄마   (혜자가 든 비닐봉지 가져가려) 무거워. 이리 내.

혜자	(안 주고 버티는) 무겁긴. 이 정돈 들어줘야 근력운동이 되는 거야. (저쪽 보고) 아 저기 콩 있다! 콩 사서 콩밥 해 먹으까?
엄마	콩 좋아하지도 않으면서.
혜자	콩이 갱년기에 좋대. 여성호르몬이 많아서… (상인에게) 이거 한 되에 팔천 원? …주세요. 아 석류는 안 파나? 그것도 좋댔는데? (상인에게) 여기 석류는 안 팔아요? 그건 과일가게로 가야 되나?
엄마	(혜자를 보고)
상인	아이고 엄마. 석류가 어딨어 이 계절에.
혜자	아. 그래요? 몰라서.
상인	(콩 싸주며) 아유 딸이랑 같이 다니시고 보기 좋네.
상인2	(옆에 있다가) 며느리지 무슨… 딱 봐도 씨가 다른 얼굴인데… 고부 사이 맞죠?
엄마	(뭐라 대답할지 애매해서 그냥 웃는데)
혜자	(넉살 좋게) 맞아요. 맞아. 우리 며느리 갱년기엔 뭐가 좋아요? 뭐 한약재 같은 것도 다려 먹고 그럼 좀 나아지나?
상인	하수오 같은 거 다려 먹고 하던데….
혜자	아 하수오… (엄마에게 속삭) 까짓거 왕창 사버리자. 나 그 정돈 벌잖아. (찡긋)
상인2	그래도 며느리가 잘 모셨나보다. 시어머니가 며느리 갱년기 챙겨주는 거 보니까… 그죠 엄마?
혜자	아유 우리 며느리야 말해 뭐해. (엄지척) 이거지 이거.
상인1/2	아이고 엄마가 재밌으시네/ 누가 보면 딸인 줄 알겠어 진짜.

엄마, 혜자의 그런 모습을 좀 낯선 듯 물끄러미 바라보는.

S# 53   포장마차 앞 (N)

장 본 거 들고 오는 엄마와 혜자.
엄마, 생각에 빠진 듯 말이 없는.

혜자   아 멸치육수 냄새. 진짜 이거 마약으로 지정해야 돼. 엄마 좀 출출하지?
엄마   (혜자 보고)

S# 54   포장마차 (N)

같이 뜨끈한 우동 먹는 혜자와 엄마.

혜자   맨날 아빠랑 오다가 엄마랑은 처음이네.
엄마   둘이 나가서 먹는 게 이거였어? 난 또 별거라고….
혜자   이게 얼마나 맛있는데. 밤에 자려고 딱 눕지. 그럼 막 이 육수 냄새가 나.
           진짜.
엄마   (피식) 핑계는….
혜자   이건 내가 살 거야. 엄마 돈 내지마.

혜자와 엄마, 한참 우동 먹는데

혜자   (대뜸) … 엄마 아빠가 이혼한다고 해도 난 엄마 편이야.
엄마   (놀라서 젓가락 멈추는데)
혜자   솔직히 엄마나 되니까 아빠랑 살지… 부처가 와도 아빠랑은 못살아. 뭐
           물어보면 대답을 하길 하나 대답을 해도 시원찮기만 하고….
엄마   …

혜자	혼자만 독야청청 선비 팔자야. 집안 쌀독이 비어도 나 몰라라 책만 붙들고 있는….
엄마	… 그 정도는 아니야 니네 아빠.
혜자	그래도 사람 보는 눈은 있나 봐. 그러니까 생활력 강한 엄마를 꼬셔서 새끼들 밥 굶게는 안 했잖아… 내가 외할머니였으면… 아빠 후드려 패쳤을 거야. 귀한 딸 노비 삼으려고 데려갔냐고….
엄마	(울컥하는 듯 조용한데)
혜자	난 무조건 엄마 편이야. 어떤 선택을 하든… 엄마 편. (우동 먹고)
엄마	(입가가 떨리는데 우동만 밀어 넣는)

둘의 모습이 짠하다.

S# 55   한적한 공터 (N)

오토바이 타고 헬멧 쓴 채 공터에 나타난 현주.
진짜 현피 구경하러 온 사람 있을까 봐 괜히 아닌 척 주변 정찰하는데 없고.

현주	하여튼 키보드 워리어새끼들… 다 몰려올 것처럼 난리더니….

그때 저쪽에서 걸어오는 멀쩡하게 양복 입은 한 남자.
현주, 저 사람일 리는 없단 생각에 무시하고 있는데
그 남자, 누구를 찾는 듯 두리번두리번.

현주	(헬멧 쓴 채) 헬조선….
남자	(휙 돌아보고)
현주	(어이가 없다) 생각보다 멀쩡한 놈이네…. (다가가고)

남자	(피식) 니가 뿌까냐? 왜? 쫄려? 헬멧까지 쓰고?
현주	딱히 너한테 내 얼굴 까고 싶지 않아서.
남자	(놀란) 뭐야 여자야?
현주	왜? 여자는 안 때리는 급 매너남 행세하시게? 채팅치던 대로 해. 그냥.
남자	(피식) 아 진짜 취향하곤….
현주	뭐?
남자	너 그 찐따새끼 좋아하지?
현주	(!!) 뭐래?
남자	좋아하네~ 대답 못하는 거 보니까. 왜 동정이야? 여자들 왜 그런 거 로망 있잖아. 쓰레기 같은 놈 붙들고 마더 테레사 흉내 내는 거.
현주	(부들부들)

S# 56   동네 일각 (N)

허리에 보호대 찬 영수, 휴대폰으로 실시간 중계하며 나오고.

영수	안녕하십니까. 제가 비록 성한 몸은 아니지만 저희 채팅방에서 일어난 사건에 책임을 통감하며 현피 현장으로 직접 가서 실감 나게 중계해 드리도록 하겠습니다. 혹시 만일의 사태에 대비해서 경찰을 부를 준비도 해놓고…. 거의 다 와 갑니다. 그럼 재빨리 가서…

근데 화면 빠지면 허리 붙잡고 힘들어하며 느릿느릿 걸어가는 영수.
그런 영수의 눈에 저 멀리 현주와 남자의 모습 들어온다.

영수	어 저쪽에!! 저쪽에 둘이 대치하고 있는 사람들이 보이는데… 저 사람들인 거 같습니다! 잠깐 상황을 지켜보도록 하겠습니다. (영수 시야각 나오는

쪽에서 나무 아래로 숨다가) 어? 저거 현주 아냐? (가까이 다가간다)

현주 그런 거 아니라고.

남자 그런 거 아니면? 병신새끼 하는 짓 보면서 '아 그래도 난 잘 살고 있어' 정신 승리하는 거 아냐?

현주 … 너나 그렇겠지.

남자 어 난 그러려고 들어가는 거야. 저딴 새끼도 사는데….

그 순간 현주, 헬멧 벗어 던지면 현주의 열받은 얼굴 보인다.
놀란 영수, 카메라 떨어뜨리는 바람에 카메라 땅을 찍고 있고.
현주, 도움닫기 하더니 그대로 날라차기 해서 남자 쓰러트리고.

영수 헉!!!

[뭐임?]
[안녕하세요 BJ 땅입니다.]
[눕방눕방 하더니 오늘은 땅방이야?]
[근데 나만 소리 안들림?]
[스릴 넘치는 추적 60분 앵글]

현주 (쓰러져있는 남자에게) 그래 첫사랑이다 됐냐?!!

영수 (!!!)

현주 그리고 지금도 좋아해. 찐따고 볼 거라곤 없는 새낀데 내가 좋아한다고. 그러니까 까도 내가 까. 한 번만 더 영수 까다가 걸려 봐. 너 고자라고 들어 봤지? (헬멧 쓰니는 오토바이 타고 떠나고)

영수, 멍하니 서서 가는 현주를 보며 카메라 들어 보여주면
쓰러져있는 남자, 그 뒤로 오토바이 떠나는 모습 보인다.

[헬조선 왜 눕방?]

[진짜 뿌까랑 헬조선이랑 현피뜬 거?]

[헐 대박!]

[아아 악마의 편집 오지구요]

[감독판 디렉터스컷 구합니다!]

[오토바이형님. 형이라고 불러도 되나요?]

[와 형님 날 가져요!!]

별사탕 터지고 채팅창 난리 난 것도 넋이 나가 못 보는 영수.

S# 57   동네 전경 / 홍보관 (D)

홍보관에 나온 혜자, 다들 저번 사건 때문에 혜자를 주시하고.
하지만 혜자, 아무 상관 없는 듯 다시 할아버지에게 다가간다.
그런 혜자를 보는 희원과 병수도 긴장하는데

혜자   (할아버지 옆자리에 앉더니 조용히) 할아버지는… 젊음하고 뭘 맞바꾸신

       거예요?

할아버지   (멍하니 창밖만 보는데)

혜자   시간을 돌려서 뭘 바꾸고 싶으셨어요?

S# 58   몽타주

혜자의 말소리에 흐르는 화면.

혜자 집 안방

엄마, 안방 서랍에서 이혼서류를 꺼내서 보고 있는.

혜자　　(E) 가족의 행복?

경비실

아빠, 한 바퀴 돌고 들어와서 의족과 연결 부위가 아픈 듯 주무르는.

혜자　　(E) 이미 잃어버린 건강?

홍보관 사무실

준하, 책상에 앉아 컴퓨터로 오로라 사진을 멍하니 보고 있는.

혜자　　(E) 못다 이룬 아련한 사랑?

S# 59　　홍보관 (D)

할아버지, 여전히 미동도 없이 창밖만 보고 있는데

혜자　　(한쪽에 접혀있던 담요를 펼치며) 뭐든 그럴 만한 가치가 있는 것이었길 바래
　　　　요. (할아버지 어깨에 담요 걸쳐주고) 이미 아시겠지만… 모든 일엔 그만큼의
　　　　대가가 따르니까…. (자리를 뜨고)

그때 여전히 멍하게 창밖을 보는 할아버지 눈에 눈물이 흐르는 데서.

Episode 8

S# 1　　홍보관 사무실 (D)

컴퓨터로 오로라 사진을 보고 있던 준하의 표정 위로

[FLASH BACK]
7화 S# 37

혜자	(준하 팔 잡고 눈 똑바로 쳐다보며) 도와줄 거라고. 혜자가.
준하	(그런 혜자의 태도에 좀 놀란 듯)
혜자	… 돌릴 수 있어… 진짜야.
준하	… 온대요? 혜자…가?
혜자	응.
준하	… 언제 …요?
혜자	곧. (준하를 똑바로 쳐다보고)

준하, 계속 오로라를 보고 있는

S# 2　　홍보관 복도 (D)

혜자, 샤넬과 서서 얘기 나누고 있고.

샤넬	(반가워서) 다시 온 거예요? 난 그러고 안 올까 봐 얼마나 걱정했는데….
혜자	(애써 웃으며) 다시 왔다기보다… 잠깐….

그때 사무실에서 나오는 준하와 눈 마주치는 혜자.
준하, 혜자에게 시선을 주고는 혜자 쪽을 걸어오는데

혜자　　　　(E) 아직은… 아직은 준비가 안 됐어. (잽싸게 돌아서서 가버리고)

준하에게 인사하는 샤넬.

혜자 사라진 쪽에 계속 시선 주는 준하.

S# 3　　　**로비** (D)

혜자, 서둘러서 나오다가 준하 있던 쪽 방향 보며

혜자　　　　… 혹시라도 기대하긴 했니? 진짜 내가… 돌아오기를….

다시 나가려는데 들어오던 우현과 맞닥뜨린다.

우현　　　　누님 왜 이제 오셨어요. 내가 누님 기다리느라고…
혜자　　　　합죽이가 됩시다!
우현　　　　합!!

혜자, 밖으로 나간다.

S# 4　　　**홍보관 사무실** (D)

준하, 아까의 혜자 모습이 좀 의아한 듯 자리로 들어오는데
병수가 준하 자리에 앉아 있다.

병수　　　　(준하 자리에 앉아서) 이게 그거지? 뭐더라?

준하	(열 받은) 나오시죠.
병수	아 그… !! 오로라!! 오로라 맞지? (웃으며 준하 보는데)
준하	(니까짓 게 입에 올리는 거 기분 나쁘단 표정)
병수	(준하 표정에 슬그머니 일어나고)
준하	(다시 자리에 앉아 신경질적으로 창 지워버리는)

S# 5   녹음실 (D)

어느 녹음실.
상은의 소속사 대표와 작곡가, 앉아 있다.

대표	이번 곡 좋던데 역시 대한민국 최고 작곡가라 달라.
작곡가	왜 이렇게 딸랑딸랑 거려. 뭔데?
대표	JYP 주려고 곡 몇 개 쟁여 놨다더만 그거 우리 주라.
작곡가	형네 애들 분위기 아니야 그거.
대표	임마! 분위기야 가수가 만들면 되지. 주라~
작곡가	준 것도 뺏는 수가 있어.

그때 상은, 커피 잔뜩 싸 들고 땀 뻘뻘 흘리며 들어온다.
상은, 다른 스텝에게 커피 나눠주고, 대표, 작곡가에게도 준다.

작곡가	마이크 테스트 좀 해보자. (일동 가만있자) 아무나 들어가 봐.
대표	상은아 니가 들어가 봐.
상은	제가요?

상은, 녹음실로 들어간다.

상은	뭐하면 되는데요?
작곡가	마이크 테스트니까 아무거나 해봐.
상은	아… 아… (하다가 노래 부른다)

상은, 무반주로 노래 부르기 시작한다.
상은, 노래 시작하자 녹음 부스 안을 쓰윽 쳐다보는 작곡가.

S# 6   동네 외경 (N)

혜자, 현주, 상은 좋아서 끼약끼약~ 비명 지르는 소리.

S# 7   현주 중국집 (N)

영업 끝난 중국집.
혜자, 현주, 상은 셋이 껴안고 소리 지르며 방방 뛰고 있다.

혜자	진짜야? 진짜 앨범 내주겠대?
상은	응. 작곡가 선생님이 곡도 준단다.
현주	앨범 내줄 테니까 돈 몇천만 원 가져와라 그런 거 아니고?
상은	아니다 그런 거.
현주	오~ 윤상은.
혜자	야 오늘 같은 날 그냥 넘어가면 안 되지. 가자!
현주/상은	그래 가자!!

S# 8 거리 일각 (N)

사람들로 붐비는 거리.

혜자 양쪽으로 현주, 상은 팔짱 끼고 기분 좋고, 신나게 다니는 모습 보인다.

길거리음식 손에 들고 서로 먹여주며 걷는 위로

현주   야 이러니까 진짜 우리 옛날 생각난다.

상은   그 시계는? 포기가?

혜자   … 응. 시계도 홍보관도 빠이. 더 이상 미련 안 둘래. 그러니까 니들이 이
          제 나랑 놀아줘야 되는 거 알지?

현주/상은   (신난) 당연하지!/ 오케바뤄!!

S# 9 옷 가게 (N)

여 셋, 깔깔거리며 서로 옷 골라주는 모습 보인다.

현주, 화려한 재킷 골라서 상은에게 대본다.

상은, 고개 흔드는데, 억지로 피팅룸으로 밀어 넣는다.

혜자, 혼자 이 옷 저 옷 관심 없이 골라보다가

혜자   와… 이건 젊었어도 못 입겠다….

그때 현주 다가와서

현주   (혜자 눈치 보며) 다른 데로 갈까?

혜자   (신경 쓸까 봐 괜히) 왜? 이쁜 거 많구만. (아무거나 손에 잡히는 대로 골라서) 이
          거 예쁘지 않냐? 이거 나한테 딱일 거 같은데?

혜자, 대보는데 너무나 무리인 옷.

거울에 비치는 옷 가게 주인 표정도 황당하고.

주인   (얼른 표정 관리) 아유. 할머니랑 손녀분들이랑 되게 사이가 좋네. 보기

         좋아요.

혜자, 그런 주인을 돌아보면

그때, 상은이 피팅룸에서 나온다.

상은   난 안 할란다. 이상하다.

주인   왜요? 딱 언니 옷인데.

혜자   안 입어봐서 그래 진짜 이뻐.

상은   그런가? 그래도 아닌 것 같은데….

주인   할머니도 이쁘시다잖아요. 손녀분보다 할머니가 더 세련되셨네.

혜자   (할머니, 손녀 얘기 듣고 있기가 싫은데)

주인   젊었을 때 입어봐야지 나이 들어선 못 입어요. 그죠 할머니?

현주   (손에 들고 있던 옷 턱 내려놓고 혜자 끌고) 야 가자.

상은   (재킷 얼른 벗어 놓고 따라 나가고)

S# 10   옷 가게 앞 (N)

현주   (괜히) 누구보고 자꾸 할머니래? (혜자한테) 야 야! 신경 쓰지 마.

혜자   (괜히 더) 니 신경 안 쓰이는데 왜? 나 괜찮아. 너네 쇼핑해.

상은   아냐… 딱 입어보이까 바느질도 엉망이고 파이드라.

현주   그래. 안 어울렸어 솔직히. 그지 않냐 혜자야?

상은   야 니들 아까는 어울린다 캐놓고. (혜자 툭 밀며) 혜자 니도 어울린다 캤잖아.

여 셋, 그제야 주변 이상한 분위기 감지하고 보는데
옷 가게 앞에 있던 사람들, 쳐다보고 있다.
혀를 차는 사람도 있고.

아저씨   젊은 것이 어른한테 싸가지없게….

상은, 혜자 팔짱 끼고 현주 손잡고 후다닥 가는.

S# 11   거리 일각 (N)

혜자, 상은, 현주, 구경 모습 컷컷 보인다.
혜자, 무릎도 아프고, 기력도 없다. 하지만 애들에게 티 안 내려 안 아픈 척.
하지만, 현주와 상은은 여전히 팔팔하다.
여전히 신나 두리번거리는 현주와 상은.
그런 둘에게 뒤처져 걷고 있는 혜자의 모습이 보인다.

(Cut to)

혜자, 벤치도 아닌 화단 같은 곳에 앉으려는데.
이미 거기에 앉아 있는 연세 드신 할머니들.
그 옆에 앉는 혜자.
현주 상은, 옷 가게 안으로 들어가려다 혜자가 걸리는 듯 돌아보면
괜찮다는 듯이 손 흔들어주는 혜자.
현주 상은, 혜자에게서 점점 멀어진다.

할머니   (혜자 보고) 진짜 무릎만 안 아파도 날아다닐 것 같은데….
혜자   (어색한 웃음) 그러게요….

지루한 시간을 보내는 혜자.

(Cut to)

스티커 사진기 앞에 있는 셋.

현주	애들이냐?
상은	나 앨범 내는 기념으로 찍자 저거.
혜자	(난감한)
현주	그래 찍자 찍어.
혜자	사진은 내 컨디션이 별로라 좀 그렇구… (화제 돌리는 듯) 우리 노래방 어
	때? 우리 목에서 쳇소리 날 때까지 노래하구 그랬잖아 기억 안 나?
상은	일등으로 도착하는 사람은 2절까지!! (먼저 뛰어가고)
현주	(따라가며) 야 2절이 웬 말이야!!
혜자	(느리지만 따라가며) 저것들 상도덕이 없네 아주!

S# 12   노래방 (N)

상은 현주, 신나서 노래 부르고 있고
혜자, 옆에서 박자 맞추고 탬버린 치다가 힘들어하고.
혜자, 노래 부르는데도 숨 딸리는 듯 마이크 자꾸만 애들에게 넘기고.
그러다 현주와 상은, 발라드 부르는데 어느새 꾸벅꾸벅 졸고 있는 혜자.

// 시간 경과
혜자, 소파에서 자고 있고, 현주 상은, 말똥말똥 앉아 있는.

상은	혜자 너무 오래 잔다.

현주	근데… 깨우기엔 너무 곤히 자지 않냐?
상은	응. 어떡하지? 시간 연장할까?
현주	이따 주인 오면 연장해.

현주, 쇼핑백에서 새로 산 자기 옷 꺼내서 혜자 위에 덮어준다.

현주	예전에 우리 중에선 혜자가 제일 팔팔했는데.
상은	밤새는 대회 있으면 혜자가 일등 했을걸.
현주	그때 기억나냐? 처음 셋이서 고스톱 배웠을 때?

// 회상
현주, 상은의 대화에 맞춰 과거의 혜자 모습 보인다.
고스톱 치며 눈이 벌게진 혜자의 얼굴 위로

상은	(OFF) 아우 말도 마라. 나 그때 죽을 뻔했다.
현주	(OFF) 애가 고스톱에 완전 꽂혀서 우리 집에도 안 보내고 이틀 밤 꼬박 잠도 못 자게하고 고스톱 쳤잖아.
상은	(OFF) 내가 울면서 보내달라캐서 겨우 끝났다.
현주	(킥킥 웃는)
상은	그래도 그때가 재밌었는데.
현주	그러게. (뭔가 서운한 표정)

S# 13   준하 집 앞 (N)

준하, 집으로 걸어오는데 옆집 할머니 나와 있고.

준하	(꾸벅 인사)
할머니	이제 와? (하다) 집 내놨다며? 저기 복덕방 김 씨가 그러대. 이사 가?
준하	… 그럴까 했는데… 생각 중이에요.
할머니	난 참한 아가씨라도 생겨서 장가라도 가나 했는데….
준하	(뭐라 말해야 할지 어색하다)
할머니	… 들어가. (미소 짓고는 집으로)

준하, 잠깐 집 앞에서 머뭇댄다.

[FLASH BACK]

혜자	혜자가… 돌아오면?

준하, 표정.

S# 14   버스정류장 (N)

버스를 기다리며 나란히 앉은 셋
현주와 상은, 계속 조잘거리고 있는데
혜자는 모든 게 귀찮고 힘들다.

혜자, 고개 돌리면 유리에 비친 늙은 모습.
물끄러미 바라보던 혜자의 눈에
그 옆에 붙어있는 성형외과 광고가 보인다. (밑에 광고전단 들어있고)

[동안 얼굴 프로젝트 10년을 젊게 사세요]

S# 15   혜자 방 (N)

바닥에 앉아서 다리에 빼곡하게 파스 붙이는 혜자.

혜자   아예 파스로 바지를 해 입어라 바지를… 에으… (하다 화장대 옆에 놔둔 성형
            외과 전단지를 보고) 10년이라… 10년 갖고 되겠냐….

거울 보고는, 볼도 빵빵하게 해보고.
리프트 한 것처럼 볼을 당겨 보기도 하고,
성형 시뮬레이션을 해보는.

혜자   10년은 젊게… 그래봐야 할머니지 뭐…. (뒤로 벌러덩 드러눕고)

S# 16   거리 외경 / 엘리베이터 (D)

엘리베이터 버튼 보인다.
3층 버튼 옆에 - 치과라고 쓰여 있고,
4층 버튼 옆에 - 성형외과라고 쓰여 있다.
4층 버튼을 누르는 손가락.
보면, 샤넬 할머니다.
젊은 여자 같이 타고 있다.

여자   할머니 4층은 성형외과예요.
샤넬   네?
여자   치과는 3층이에요.
샤넬   (!!) …그러… 게요.

샤넬, 4층 취소버튼 누르고, 3층 누른다.
엘리베이터 문 닫히려는데 다시 열리면, 혜자 서 있다.

혜자   (들어오며) 어머 안녕하세요.

샤넬   (미소 지으며 인사)

혜자   여긴 어쩐 일로?

샤넬   (쭈뼛쭈뼛) 그냥 좀….

혜자, 4층 버튼을 누른다.

여자   4층은 성형외과예요.

혜자   (근데?) 그러게요. 여기 써 있네. 성.형.외.과….

여자   (오히려 뻘쭘하고)

샤넬   (뭔가 든든하다)

S# 17   **성형외과 앞** (D)

혜자, 앞장서서 당당하게 성형외과 문 열고 들어간다.

S# 18   **성형외과 안** (D)

주로 젊은 사람들 앉아 있다.
혜자와 샤넬, 들어가자 일동 둘 쳐다보는.
샤넬은 물론 혜자도 좀 민망한 눈치다.

혜자	(안내데스크에게) 저기… 상담 좀 받아볼까 하는데요.
간호사	두 분 다요?
혜자	네.
간호사	(차트 내밀며) 이거 작성해주시고 일단 저쪽에 앉아 계세요.

혜자, 샤넬, 고맙다고 인사하고는 의자에 앉는다.
사람들, 신기한 듯 보는데.

혜자	(차트 글씨 잘 안 보이고) 뭐라고 써놓은 거야….
샤넬	(마찬가지) 그러게요. 글씨가 왤케 작어.

혜자 맞은편에 앉은 여자 남자 커플은 혜자 쪽 보며 재밌는 듯 지들끼리 귓속말하며
키득거리고 웃기까지 한다.

커플	안과를 가야 되는 거 아냐? 여기 말고/ 그러게. 킥킥….

샤넬은 왠지 위축되는 모습.
혜자는 딱히 신경 안 쓰려고 하는 모습.
그런데 커플의 남자, 핸드폰 꺼내서 몰래 사진 찍는다.
민망해하는 샤넬.
혜자, 일어나 그 커플 앞에 가는.

혜자	지금 뭐 하는 거예요?
남/여	네?
혜자	지금 촬영했잖아요?
남자	네?
혜자	핸드폰으로 우리 찍었잖아요?

남자	안 찍었어요.
혜자	봐 봐요 그럼 핸드폰.
남자	… 지울게요. 자 지워요? 됐죠?
혜자	(돌아서는데)
남자	차… (들으라는 듯) 시집이라도 가시나? 꽃가마 타고?

남자 여자, 또 낄낄거리며 웃는 소리 들린다.

혜자, 다시 돌아서서 남자에게

혜자	그래 우리가 막 웃기지? 다 쭈그렁방탱이 돼서 누가 봐줄 사람도 없는데 돈 아깝게 성형이 웬 말이냐 싶지? 누구 보라고 하는 거 아니야. 나 보라고 하는 거야. 맨날 세수하고 이 닦고 할 때 거울 봐야 될 거 아니야. 그때마다 내가 좀 더 흡족했음 하는 거야. 니들도 여기 와서 요기 자르고 요기 꿰매고 하는 거… 뭐가 맘에 안 들어서인 거잖아.
커플	(별말 못하고 앉아있는데)
혜자	(남자 얼굴 뜯어보며) 보자아… 어디가 맘에 안 들어서 왔나. 눈 쌍꺼풀에 앞뒤트임 해야 그나마 햇빛이라도 들어오겠고 주저앉은 콧등 봐라. 맞구 다니니? 보형물 넣고… 야 견적 내다 하루 다 가겠다. 마음에도 안 드는 얼굴 도로에다 확 갈아버려 그냥.
남자	(버럭) 왜 남의 얼굴 갖고…
혜자	(O.L) 왜 열 받니? 늙은 얼굴은 이러쿵저러쿵 품평해도 되고 니 얼굴은 안 돼? 늙는 게 죄냐? 이렇게 쭈글쭈글해진 게 니들한테 비난 받을 죄냐고?
여자	(남자 툭 치며) 사과해 얼른….
혜자	니들은 안 늙을 거 같지? 이뻐지고 싶은 그 맘 그대로 몸만 늙는 거야 이것들아.
간호사	저기요.
혜자	(버럭) 왜에!!!

간호사	들어가세요.
혜자	(세상 다정하게) 네~

S# 19   성형외과 진료실 (D)

샤넬과 혜자, 각각 의사에게 상담받는 뒷모습 컷컷

S# 20   성형외과 휴게실 (D)

혜자 샤넬, 둘이 커피 들고 창밖을 보고 있다.

둘의 뒷모습 보이는.

혜자	얼마나 고쳐야 된대요?
샤넬	(얼굴에 그려진 그림들 몇 개) 본바탕이 좋아서 그냥 미간하고 팔자주름에 필러만 맞아도 될 것 같다고 하시네요.
혜자	어머 그래요? 난 팔자주름 얘기만 하던데… (얼굴 보이는데 꽤 많은 낙서) 괜히 돈 뽑아왔네.
샤넬	(콤팩트 꺼내며 웃는다)
혜자	왜요? (하다 샤넬 콤팩트 거울 보여주면) 어머.

웃으면서 얼굴 지우는 혜자와 샤넬.

S# 21   현주네 중국집 (D)

현주, 중국집 룸으로 메뉴판 들고 들어가면.
영수, 떡하니 앉아 있다.

현주	아씨~
영수	보자마자 아씨가 뭐냐?
현주	왜?
영수	중국집에 왜 왔겠어?
현주	헛소리 말고 뭔데?
영수	너 나랑 비즈니스 하지 않을래?
현주	하는 일도 없는 백수가 무슨 비즈니스야?
영수	요즘 우리 BJ들 사이에 유행하는 게 있어. 우리 결혼했어요 라고. 가상결혼 알지? 우결충이란 말이 생길 정도로 엄청 인기거든. 별사탕도 아주 끌어모아.
현주	그래서?
영수	그래서라니? 그니까 너랑 나랑 우결 방송을 하자는 거지. 별사탕은 5대5로 나누고.
현주	나가! 미쳤어. 내가 그런 걸 왜 해? 것도 너랑!!
영수	기대도 안 했다. 주문이나 받아.
현주	우리 집 막 니가 뭐 시켜 먹을 만큼 퀄리티 낮은 데 아니다 가라.
영수	돈 있거든. 손님 대접 좀 하지?
현주	(메뉴판 주며) 뭐 시킬 건데… 요?
영수	(메뉴판 보고) 이거랑! 이거! 또 이거! 이거!
현주	로또라도 맞으셨어요?
영수	주기나 하지.
현주	(의심스럽게 메뉴판 들고 나가는)

Cut to

영수, 앞에 요리 그릇들 잔뜩 놓여 있고,

영수, 배부른 듯 꺼억 하며 계산서 들고 일어난다.

현주, 계산대 앞에 있고,

영수, 계산서 들고 현주 앞으로 온다.

현주   탕수육은 서비스고, 23만 원입니다.

영수   남은 건 포장해주고 (주방 쪽 보며) 현주야 외상으로 잘 먹었다.

S# 22   중국집 앞 (D)

영수, 씩 웃으며 나와 후다닥 도망가는

이어 튀어나오는 현주.

현주   (안쪽 보며) 아빠! 아니야! 내가 외상 준 거 아니라구!! (하다 영수 간 쪽 보며)
              씨이….

S# 23   백화점 또는 쇼핑몰 옷 가게 (D)

누가 봐도 중년풍의 옷들이 진열되어 있다.

프린팅은 거의 비슷한 수준인데, 옷마다 조금 디자인의 차이가 있는.

샤넬, 적극적으로 행거에서 옷을 꺼내 몸에 대보는 반면.

혜자, 옷 하나하나 대충 넘겨보는.

샤넬, 뭔가 비슷해 보이는 옷 세 개를 번갈아 대보며 고르고 있고.

샤넬	(세 개 대보며) 뭐가 나아요?
혜자	(차이가 뭐지?) …뭐가 달라요?
샤넬	당연히 다 다르죠. 이 옷은 꽃이 좀 크고, 이건 작고. 그리고 이건 허리가 편한 옷, 이건 가슴이 편한 옷. 다 디테일이 달라요.
혜자	아… (혼잣말) 큰 꽃, 작은 꽃, 핑크, 연핑크, 찐핑크… 아주 호수공원 꽃박람회네 여기….

샤넬, 옷 하나 꺼내서 혜자에게 대본다.
꽃 그림이 크게 그려진 화려한.

샤넬	이거 김 여사님한테 잘 어울릴 거 같아요.
혜자	(이게?) 그 그래요? (보며) 너무 클 것 같은데… 펑퍼짐해서….
샤넬	입어봐요. 보는 거랑 입은 거랑은 확 달라.
혜자	(갸웃) 큰데… 아무리 봐도….

혜자, 받아 들고는 마땅치 않게 피팅룸으로 가는.

(Cut to)

샤넬, 기다리고 있고,
피팅룸 열리고. 혜자, 꽃 그려진 옷 입고 놀란 표정으로 나온다.

혜자	(E) 딱 맞다! 마치 몸에 대고 바느질한 것처럼!!
샤넬	거봐요. 내가 눈썰미가 있다니까… 잘 맞죠?
혜자	(어안이 벙벙) 네… 근데 이게… 왜… 맞지?

혜자, 거울에 자신을 비춰보는데.

혜자	(E) 잘 어울린다.
샤넬	편하죠?
혜자	(옷 권 채 E) 편하다. 내 옷인 것처럼.
샤넬	이거 하면 되겠다.
혜자	(잠깐 고민하다가 옷 내려놓으며) 다음에요…. (E) 이것도… 마음의 준비가 필
	요해….

S# 24   커피숍 (D)

샤넬, 신발 벗고, 신발 위에 자신의 발을 올려놓고 쉰다.

샤넬	그거 얼마나 걸었다고 발이 아프네.

혜자, 그런 샤넬을 보다가.
자기도 신발 벗고, 발을 그 위에 올려놓는다.

혜자	(혼잣말) 아 살 것 같다.
샤넬	이제 어디 돌아다니면서 구경하고 그러는 거보다 이런 데 앉아서 얘기하
	고 그런 게 좋더라.
혜자	(맞장구) 그러게요….
샤넬	아까 옷도 잘 어울렸는데… 왜 안 사셨어요?
혜자	… 뭔가 아직 준비가 안된 것 같아서….
샤넬	(의아) 준비요?
혜자	(대답하기 애매해서 커피 마시고)
샤넬	화장실 좀…. (일어난다)

S# 25   커피숍 앞 (D)

상은, 두꺼운 앨범 들고 낑낑거리며 통화하고 있다.

상은   (전화하며) 그 앨범 자켓 사진요… 아직 못 골랐어요. 내일은 꼭 보내드릴
게요. 네 들어가세요.

상은, 전화 끊고 앨범 들고 가려는데.
커피숍 안의 혜자를 발견한다.

상은   혜자다!

S# 26   커피숍 (D)

혜자, 앉아 있는데.
상은, 커피숍으로 들어온다.

상은   혜자야!!

상은을 본 혜자, 주변을 둘러보는데
사람들, 상은과 혜자를 보고 있는 듯하다.

상은   아… (조용하게 혜자에게 오는/ 작게) 안 그래도 집에 가고 있던 중이다. 오늘
앨범 자켓 디자인하는데 내 옛날 사진 컨셉으로 낸다 그래서 니가 내 사
진 좀 골라달라고…
혜자   나중에… 나중에 하자.

상은	빨리 골라달라는데.
혜자	나중에 골라줄게.
상은	왜 누구 만나?
혜자	응.
상은	누구 만나는데?
혜자	어… 그냥 친구.
상은	친구 누구? 현주?
혜자	아니.

그때, 화장실에서 손수건으로 손 닦으며 샤넬 할머니 온다.

| 혜자 | 그래 상은아. 할머니한테 안부 전하고 나중에 보자. |
| 상은 | … 네. |

상은, 꾸벅 인사하고, 샤넬에게도 인사하고 나간다.

S# 27 커피숍 밖 (D)

상은, 나와서 커피숍 안을 본다.
즐겁게 얘기하고 있는 샤넬과 혜자의 모습.

| 상은 | 친구? (섭섭한 표정) |

S# 28　　커피숍 (D)

샤넬　　머리는 어디서 해요? 아 집이 미용실이랬죠? 그럼 나 이따 머리하러 가면
　　　　안 돼요?

혜자　　에이… 우리는 그냥 동네 미용실이에요. 여사님은 강남에 있는 막 유명한
　　　　디자이너 있는 데 다니실 거 같은데요.

샤넬　　그런데 가봤자 똑같은 얘기만 해요. 숱이 적다, 머리가 힘이 없어서 컬이
　　　　안 나온다. 누가 모르나….

혜자　　(피식) 그래서 우리 집에서도 다들 한 번 하면 1년은 거뜬한 뽀글뽀글 파
　　　　마만 해요. 그래도 오실래요?

샤넬　　(!!)

혜자　　농담이에요. 제가 해드릴게요. 파마.

샤넬　　머리 만질 줄 알아요?

혜자　　잘해요. 나. 이따 우리 엄마… 며느리 문 닫으면 그때 해드릴게요. 공짜로.

샤넬　　아니에요. 돈 내야지 머리하는데.

혜자　　그냥 해드릴게. 그래야 망치면 돈 물어달란 소리 못하지.

샤넬　　…

혜자　　농담이에요.

샤넬　　(웃는데)

혜자　　(샤넬 살피며) 근데… 무슨 좋은 일 있으신가 봐요?

샤넬　　네?

혜자　　갑자기 성형에… 쇼핑에… 머리까지… 얼굴도 뭔가 즐거워 보이시구…
　　　　오늘은 효도원도 안 가셨나 봐요.

샤넬　　아… 저도 준비가 좀 필요한 일이 있어시…. (행복한 듯 미소 짓고는 커피
　　　　마시는)

S# 29   혜자 집 외경 / 혜자 집 거실 (D or N)

현관문이 벌컥 열리고.
현주, 씩씩거리며 서 있는.

현주   야 김영수 어딨어?

영수, 방에서 나오는.

현주   돈 내놔! 너 때문에 쫓겨나게 생겼어.
영수   너 내가 돈 있는 거 봤냐?
현주   군만두나 훔쳐 먹던 바늘도둑이 이젠 어엿한 소도둑이 됐네?
영수   방법은 얘기해줬잖아. 우결.
현주   미쳤어? 내가 너랑 우결을 왜 해?
영수   그럼 쫓겨나든가.
현주   해 그럼.
영수   그렇게 쉽게?
현주   니가 뭐 어디서 돈 나올 데 있어? 뭐 어떻게 하면 되는데.
영수   그냥 결혼한 것처럼 행동하면 돼. 애들은 진짜를 원하거든. 그래야 별사탕
          도 터지고, 절대 비즈니스 커플로 보이면 안 돼. 알았어?
현주   대신 외상값만 벌면 그 즉시 쫑이다.
영수   오케이! 콜!! 예고 때리고 준비할 테니까 낼 이 시간에 와.

영수, 방으로 들어가면.

현주   미쳤지 미쳐. 내가 별짓을 다 해.

S# 30   포장마차 앞 (N)

걸어오던 혜자, 무심코 포장마차 안으로 들어간다.

S# 31   포장마차 (N)

혜자, 들어서는데 준하가 앉아 있는 거 보고는 화들짝 놀라서 나가고.

S# 32   포장마차 앞 (N)

혜자, 서둘러 그냥 가려다가 멈추고.

혜자   (E) 그래도 얘길 해야지? 혹시나… 혹시나 기대했을지도 모르잖아. (다시
            용기 없어지는) 아 뭐라 그래. 갑자기 못 돌아온다고 얘기해? 하아….

그러다 혜자, 맘을 먹은 듯 머리 한번 만지고 들어간다.

S# 33   포장마차 (N)

준하, 소주 마시고 있는데 혜자 옆에 와 앉고.
혜자, 자기 잔에 소주 따라서 마시고.
준하, 그러려니 하는데 혜자, 계속 따라 마신다.

준하   (좀 걱정된 듯 혜자를 보는데)

혜자	(잠깐 기다리라는 제스춰. 또 따라 마시다가 성에 안 차는지 병나발)
준하	(결국 병 잡고 말리고)
혜자	잠깐만 기다려. 술 쫌만 올라오면… 얘기할게.
준하	… 더 하실 얘기가 있으실 줄 몰랐네요. (소주 마시는데)
혜자	… 못 온대.
준하	(뭔 소리?… 하다 감이 온다) …
혜자	미안하대. 혜자가 진짜… 많이… 미안하대. (미안해서 준하도 못 보고)
준하	…
혜자	(울컥) 아마 평생 다시는 못 올 거래. …거기서 좋은 데 취업하게 됐대나? 거기 몇 년 다니면 시민권이 나오나 봐. 시민권도 따고 그냥 아예 정착하겠대. (얘기할수록 자꾸 눈물이 나오려고 그런다) 미안하다고… 약속 못 지켜서 미안하다고 꼭 전해주래.
준하	… 네.
혜자	괜찮지? 괜찮은 거지?
준하	네.
혜자	… 혹시… 기다렸어?
준하	…

준하의 눈에 들어오는 한쪽의 빈 테이블.
그 테이블에서 젊은 혜자와 준하가 웃으며 술을 마시고 있다.
젊은 혜자, 준하에게 소주병을 멋지게 따는 방법을 알려주고.
준하, 웃으며 따라 해보는데 옷에다 술 다 쏟고.
그걸 본 혜자, 깔깔깔 웃고. 준하도 멋쩍게 웃고.
그저 그런 별거 없는. 그렇지만 그립고 소중한 일상.

준하	… 아뇨. 잘됐다고 전해주세요.
혜자	(좀 서운해서 울컥) 그래. 다행이네. 혹시나 기다렸을까 봐… 걱정했더니….

(준하를 보는데)

준하 (별 표정이 없다)

혜자 그리고 나 앞으로 거기 더 못 나갈 것 같아. 거길 더 갈 이유도 없고 내가
가면 힘들잖아. 그치?

준하 아니에요. 괜찮아요.

혜자 아니야. 다 알지 그 마음… (울 것 같다) 혼자 있고 싶겠다. 나 먼저 들어갈
게. (일어나 가려다) 상심했다고 술 너무 많이 마시지 마. 속 버려.

준하 …

S# 34   포장마차 앞 (N)

혜자, 포장마차를 나서서 돌아본다.
준하는 여전히 그 자리에 앉아 있다.

혜자 그지. 상심했네… 불쌍해서 어째… (울음 터진다) 저 봐! 등이 운다 울어.
쯧쯧….

혜자, 천천히 집을 향해 걷는다.
그러다 혜자, 멈춰서고. 그리곤 손등으로 눈을 가리고 선다.

혜자 (흐느낀다) 그만 좀 울어… 우는 것도 힘들다고오… 흐으으으….

S# 35   포장마차 (N)

준하, 소주 한 잔을 들이켜고 빈 잔 만지작거린다.

뭔가 자조적인 웃음 웃는다.

쓸쓸해 보이는 준하의 모습 길게.

S# 36   거리 외경 / 커피숍 (D)

준하, 앉아 있는데,

누군가 준하의 앞자리에 앉는다.

준하의 아버지다.

준하부	맘고생 좀 했나 보네 얼굴이 안 좋다? 왜 고소라도 취하해달라고 빌러왔냐?
준하	빌면, 취하는 해주고? 그런 동정심 같은 거 없잖아. 당신.
준하부	이 새끼가 이게. (하다) 됐다. 지 애비 잡아넣겠다고 혼자 머리통 깬 놈한 테 뭘 바래. 뭐 임마! 돈 얘기 아니면 얘기 길게 하고 싶지 않으니까 빨리 말해.
준하	집 내놨으니까 알아서 계약 진행하시라고. 부동산엔 대리인이 올 거라고 얘기했으니까….
준하부	집을 나한테 넘긴다고?
준하	미우나 고우나 할머니가 끔찍하게 생각하는 아들이었잖아. 나도 그쪽이 나 없는 사이 어지럽힌 집 치우는 것도 진절머리 나고.
준하부	그까짓 오막살이 얼마 된다고… 그거 넘기고 보험금은 니가 챙기겠다?
준하	(지겹다) 그럼 지켜보든가. 내가 할머니 보험금을 가졌는지 어쨌는지.
준하부	(준하 태도 변화가 의아하고) 로또라도 당첨됐냐? 돈 나올 구멍이라도 생겼어?
준하	(일어나서 나가려는데)
준하부	어디 멀리 떠나기라도 하게?
준하	궁금해하지 맙시다. 어색하니까. 나에 대해 평생 궁금해하지 않았잖아. 하 던 대로 해. (나가버리는)

준하부   너 임마 딴소리하기 없어. (집 생각에 히죽 웃는)

S# 37   홍보관 (D)

혜자, 샤넬, 홍보관으로 들어오는데.
희원, 홍보관 앞에서 왔다 갔다 하며 기다리고 있다.
샤넬 보고 반가워하던 희원, 혜자를 보자 약간 당황하는데

희원   어르신도… 나오셨네… 이제 못 보나 싶었는데….
혜자   (오히려 씩씩한) 왜 죽기라도 했을까 봐요?
희원   농담을 해도 그런 농담을 하세요. 보고 싶어서. 안 보니까 보고 싶잖아요.
            빨리 들어가세요.

S# 38   화장실 앞 (D)

혜자, 화장실 앞으로 가는데.
시계 할아버지, 화장실 앞에 앉아 있다.
할아버지, 침이 조금 흘러내려 있는.
혜자, 다가가 휴지 꺼내서 침을 닦아 준다.
혜자, 시선에 시계가 눈에 들어오는데
혜자, 시계를 외면해 버린다.
나머지 휴지 잘 접어
할아버지 가슴에 달린 주머니에 휴지 넣어주는.
혜자, 지나가면.
멍하게 있던 할아버지,

혜자를 따라 시선이 옮겨진다.

잠시 후.
외출했던 준하, 오는데 혼자 있는 할아버지 발견한다.
준하, 할아버지 앞에 서서 휠체어에 앉아 있는 눈높이를 맞추며 앉는다.

준하   어르신 화장실 가시게요?

할아버지, 준하를 보자 갑자기 소리를 지르기 시작한다.
준하, 당황하고 어쩔 줄 몰라 하는데.
병수, 화장실에서 나온다.

병수   아 이 할아버지… 왜 이런데? 요즘?

병수, 휠체어 밀고 가고.
준하, 당황한 눈빛이다.

S# 39   홍보관 사무실 앞 (D)

혜자, 괜히 기웃기웃거리고 있는 뒤로 준하 오고 있다.

준하   안녕하세요.
혜자   어… 왔어? (손 어색하게 흔든다)
준하   ……
혜자   안 나온다 그러고는 내가 나와서 궁금하겠다. 그지?
준하   …

혜자	내가 여기 있는 사람들이랑 인사를 못 했어. 사람들이 날 참~ 좋아하거든. 그냥 안 나오기엔 예의도 아닌 것 같고… 글고 갑자기 확 안 오면 보고 싶고 그러잖아. 막 궁금하고 그러잖아. 그랬지?
준하	(대답 안 하는)
혜자	그래. 봤음 됐다. 됐지? 나 사람들이랑 인사하고 올게.
준하	저녁까지 계세요. 모셔다드릴게요. (들어간다)
혜자	에이~ 그럴까? 그럼. (좋긴 한데 어색하다)

S# 40   영수 방 (D)

여기저기 꽃들도 있고, 화사한 뒷배경.
영수, 현주, 방송용 카메라 앞에 나란히 앉아 있다.
지금까지 본 적 없는 말끔한 모습의 영수와 예쁘게 차려입은 현주.

영수	BJ 프린스. 오늘은 어제 공지해드린 대로 우결컨텐츠를 진행하겠습니다. 저랑 오늘 우결 하실 분은 짜잔!!

영수, 카메라 쪽 손으로 돌리면,
개인방송 화면에 현주 얼굴 들어온다.

영수	방송 BJ는 아니구요. 제가 어렸을 때부터 알고 지냈던 동생이고, 결정적으로 제 여동생 친구입니다. 인사해.
현주	(귀찮은 듯) 안녕하세요.
영수	(이 악물고 작게) 돈 안 벌래?
현주	(끙/ 억지로 상냥하게) 안녕하세요.

영수, 개인화면에 채팅 올라가는데.

[이쁘다] [헉! 어디서 모셔왔냐?] [여동생친구면 게임 끝이지]
[너한테 과분하다] 등등 올라온다.

영수   이뻐요? 난 맨날 봐서 모르겠네. (하하하) 본격적인 우결 전에 궁금한 것들
        있으면 질문받고 시작할게요.

[뭐 약점 잡혔냐 저런 놈이랑 우결을 왜 해?]
[모쏠주제에 니가 뭘 한다고 우결이냐?]

영수   형님들 너무하시네. 내가 옛날에 여자들한테 제법 인기가 많았어요.

[뭔 개소리냐?] [어디서 구라야?]
[여자분 진짜 인기 많았어요?]

영수   얘기 좀 해줘라. 나 인기 많았지?
현주   인기가 많기는 개뿔.

[그럴 줄 알았다]
[어디서 어그로야]

영수   야 니가 그렇게 얘기하면 안 되지?
현주   내가 뭘. 솔직하게 얘기한 건데 왜?
영수   와. 형님들 얘 첫사랑이 나야.
현주   (헉)
영수   얘가 나 좋다고 얼마나 따라다녔는 줄 알아? 말해봐. 너 나 좋아해서 따라

다녔어 안 따라다녔어?

현주   미 미쳤어. 누가 따라다녀?

　[주작걸렸죠?]

　[공장이나 가라]

　[여기 허언증갤러리야?]

영수   너 고등학교 1학년 때고 나 고3 때. 것도 너 봄 소풍날 기억 안 나?

현주   안 나는데.

영수   학교에서 내려오다 보면 거기 토끼굴 있었지? 내가 하교하고 오는데, 얘
　　　가 거기서 기다리고 있드라고. 무슨 일이냐고 했더니 대답도 안 하고 발
　　　끝으로 계속 동그라미만 그리고 있어. 왜? 내 이름이 영수니까. 동그라미
　　　영을 그린 거지. 할 얘기 없으면 나 간다. 그랬더니 얘가 눈가가 그냥 반짝
　　　반짝… 눈동자에 눈물막이 생긴 거지. 그런 눈으로 "오빠! 나 오빠 좋아하
　　　면 안 돼요?" 이랬다니까? 그치 대답해봐?

현주   꿈꿨어? 나 그런 적 없었는데.

영수   하. (억울한) 하.

　[우결 하기도 전에 이혼 먼저 하겠네]

　[난 여자 말이 백퍼 맞다본다]

　[그래 저 여자도 머리가 있을 텐데 저런 놈을]

영수   진짜라니까!! 너! 너!

현주   뭐?

S# 41   홍보관 사무실 (D)

희원, 소파에 앉아 있고
준하, 희원 컴퓨터 앞에서 작업하고 있다.
희원의 휴대폰이 울리는데
폰에 뜬 이름 보곤 표정 어두워진다.

준하 형! 어르신들 주소, 전화번호, 신상정보 엑셀로 정리해놨거든요. 엑셀 할
         줄 알죠?

희원 엑셀 …볼 줄 알지.

준하 (피식) 형 잘 가는 사이트 즐겨찾기 해놨으니까 매번 검색 안 해도 되고….

희원 땡… 큐. (뭔가 불안하다)

준하 (모니터 보며) 그리구 히터 하나 주문하려구. 여기 물어보니까 이 건물 난방
         안 좋대요. 이번 겨울도 추울 거라는데. 형 추위 많이 타잖아.

글썽이는 희원, 준하 옆으로 오더니, 컴퓨터 막으며

희원 너 하지 마. 너 이상해. 히터 주문하고 나면 너 어디 갈 거 같아! 그니까 하
         지 마. 너 왜 그러냐 불안하게.

준하 에이 비켜~

희원 하지 마. 내가 다 할게. 너 이러지 마아~~.

준하 (웃는)

S# 42   교육실 (D)

할머니 할아버지 모여서 도란도란 얘기하며 공작도 하며

한참 뻥튀기 과자로 목걸이 만드는 작업 중인데.
혜자, 조심스럽게 문 열고 들어온다.

혜자　　무슨 시간이에요?
단순　　뻥튀기 목걸이 만들어요. (느릿느릿 만드는)

혜자, 목걸이 만들려고 하는데 재료가 없자
몸빼 할머니가 눈치 보며 몸빼 속에서 과자랑 실 가위 등등 꺼내준다.
혜자, 신기하게 본다.

S# 43　　혜자 방 (D)

상은, 앨범 펴 놓고 사진 보고 있다.
초등학교 때부터 고등학교, 25살 먹었을 때까지
혜자, 현주, 상은 셋이서 찍은 사진들이 보인다.

상은　　우리 혜자 이쁘다.

상은, 앨범 보다가 엎드려 바로 잠드는.

S# 44　　홍보관 휴게실 (D)

아무도 없는 휴게실에 시계할아버지만 있다.
준하, 지나가다 혼자 있는 할아버지를 본다.
여전히 미동 없이 멍한 시선, 굳은 것처럼 움직이지 않는 팔다리.

[FLASH BACK]

S# 38

준하를 보고 소리 지르던 시계 할아버지

준하　　　 (다가온다) 할아버지 식사하셔야죠. 제가 모셔다드릴게요.

할아버지　　(천천히 시선 돌리다 준하인 걸 알고 거부하는 몸짓과 표정) 으어어어어….

준하　　　 (손 급해지며) 네. 저 싫어하시는 거 알아요. 식당에 모셔만 드릴 거예요.

할아버지　　(더 격해지는 거부) 으어어어어!! (그리곤 옆에 놓인 꽃병으로 손을 뻗고)

(E) 쨍그랑!! 꽃병 깨지는 소리.

준하, 머리를 감싸 쥐고 할아버지에게서 떨어진다.

바닥에 깨진 꽃병 보이고.

할아버지　　(여전히 준하 보며 소리 지르는) 으어어어!! 어어어어!!

연아　　　 (지나가다 놀라 들어오며) 어머 할아버지!!! 이 팀장님 괜찮으세요?

준하　　　 (머리에 댔던 손을 보는데 피가 좀 난다)

연아　　　 (놀라 티슈 뽑아주며) 어머!! 병원 가셔야 하는 거 아니에요?

준하　　　 그 정돈 아닌 것 같아요. 할아버지가 놀라신 것 같은데….

연아　　　 아… 진짜 왜 이러시지?

할아버지, 여전히 진정 안된 듯 부들부들 떨며 두려워하는 표정.

S# 45　　　홍보관 외경 / 홍보관 휴게실 (D)

준하, 거즈 머리에 대고 고개 숙이고 있고

혜자, 옆에 앉아 걱정스럽게 쳐다보고 있다.

혜자	혼자 침도 제대로 못 닦는 양반이 뭔 힘이 있어 꽃병으로… (생각할수록 억울한) 그 할아버지 암튼 좀 이상한 거 같아. 앞으로도 또 그럴 텐데….
준하	앞으론 그럴 일 없을 거예요.
혜자	(?) 왜? (하다가) 혹시 여기… 그만 다니려구?
준하	(피식) 그만 다니라면서요? 할머니가?
혜자	그랬… 구나… 언제부터… 안 나와?
준하	글쎄요… 이런저런 정리 끝나면요….
혜자	… 어디로 가게?
준하	(피식 웃으며) 이제 할머니도 제 걱정은 그만하시고 재미있게 지내세요.

준하, 일어나 가는데 혜자는 뭔가 헛헛한

S# 46　혜자 집 외경 / 영수 방 (D)

영수 현주, 방송 중이고, 영수, 씩씩거리고 있다.

영수	형들 그동안 형들과 내가 쌓아온 신뢰가 이정도밖에 안 돼? 게스트 말보다 내 말을 더 믿어줘야지. (채팅 읽는) 뻥 아니라니까. 진짜 얘가 나 좋아했었다니까. 증거? 그래 증거! 증거 보여주면 믿을래? 그래 내가 보여준다.
현주	(어이없어 보는데)

영수, 벽 위쪽에 난 작은 다락 같은 곳에서 박스 하나 꺼내온다.

영수	내가 증거 보여줄 테니까. 아니라고 우긴 형들 별사탕 쏴.

영수, 박스에서 유리병에 담긴 종이접기 별 나온다.

현주, 그거 보더니 눈 커지는데.

영수   이게 별인데 얘가 접어 준 거야! 이게 천 개 접으면 소원이 이뤄지거든. 근데 얘는 999개 접어줬어. 나머지 하나는 자기랑 사귀면 접어준다는 거야. 기억나지?

현주   딱 봐도 산 거네. 나 별 접을 줄도 모르는데?

영수   와. 너 왜 그러냐? 니가 자꾸 그러니까 형님들이 안 믿잖아? (챗 보고) 아니 산 거 아니라니… 별을 왜 사? 알았어. 너 이름 뭐야? 이름 얘기해 봐!

현주   그만 좀 하지.

영수   애 이름이 현주야. 영어로 HJ. 자!!

영수, 박스에서 이번엔 뜨개질한 목도리 꺼낸다.

영수   이거 보여? 얘가 여름 내내 뜬 거야. 겨울에 나 하라고. 자 뒤 봐봐.
            HJ 하트 YS 보이지? HJ 현주! YS 영수 나! 이정도면 믿겠어?

현주, 마이크 끈다.

영수   마이크를 왜 꺼?

현주   왜 이래 진짜?

영수   뭐?

현주   별이고 목도리고 왜 끄집어내는데? 찐따처럼.

영수   안 믿잖아. 쟤들이 진짜 찐따로 보잖아.

현주   그만해. 더 하면 나 그냥 간다.

영수   처음부터 니가 첫사랑이 맞다 좋아했었다 말했으면 끝날 문제였거든.

현주   그게 왜 중요한데?

영수	BJ는 이미지로 먹고사는 거야. 쟤들한테 찐따 이미지면 계속 찐따 된다니까. 그럼 나중에 여자 BJ들이랑 합방도 못해. 그냥 계속 하꼬 되는 거야.
현주	알았어. 솔직하게 얘기하면 되지? 뭐 더 꺼내기만 해봐.
영수	진짜지?

영수, 마이크 켠다.

영수	형님들 이 친구가 나 놀린 거래. 자 솔직하게 얘기한대. 얘기해.
현주	맞아요. 이 오빠가 첫사랑이었구요. 제가 좋아했어요.
영수	(뿌듯한데)

채팅 올라온다.

> [그 사이 짰네] [얼마 떼 주기로 했냐?]
>
> [여자분 협박당했으면 살짝 오른손 들어주세요]
>
> [남자망신 다 시키네]

등등 올라오고.

영수, 미치고 팔짝 뛰겠다.

S# 47   홍보관 봉고차 (D)

준하, 운전하고 있고. (조수석에 혜자)
샤넬, 단순, 몸빼 할머니, 우현, 타고 있다.

샤넬	이따 9시쯤 가면 돼요?
혜자	네 그쯤 오세요.
우현	이따 두 분 만나기로 한 거예요?
샤넬	김 여사님이 머리 좀 만져준다 그래서요.
몸빼	맞다 미용실 한다 그랬지. 나도 좀 만져주면 안 되나?
혜자	네? 그러세요.
우현	저두요.
혜자	만질 머리도 없잖아요?
우현	머리 만지러 가나요 누님 보러 가지.
혜자	(우현 무시) 이따가들 오세요.

봉고 서고, 사람들 내리면 준하, 혜자 둘만 남아 있다.
준하, 혜자, 아무 말도 없이 그냥 달리는.
노을빛이 차창으로 밀려 들어온다.
라디오에서 흘러나오는 이문세의 〈옛사랑〉
카메라 정면 잡으면 젊은 혜자로 바뀌어 있다.
혜자는 곧 이별이란 생각에 눈물이 그렁그렁
반면 준하는 계속 덤덤한

[가사]
남들도 모르게 서성이다 울었지 지나온 일들이 가슴에 사무쳐

텅 빈 하늘밑 불빛들 켜져 가면 옛사랑 그 이름 아껴 불러 보네

찬바람 불어와 옷깃을 여미우다 후회가 또 화가 난 눈물이 흐르네

누가 물어도 아플 것 같지 않던 지나온 내 모습 모두 거짓인가

이젠 그리운 것은 그리운 대로 내 맘에 둘 거야

그대 생각이 나면 생각난 대로 내버려 두듯이

흰 눈 나리면 들판에 서성이다 옛사랑 생각에 그 길 찾아가지

광화문 거리 흰 눈에 덮여가고 하얀 눈 하늘 높이 자꾸 올라가네

// 회상
1화, 2화 때 혜자와 준하의 모습들

// 다시 봉고차
묵묵히 운전만 하는 준하와 옆에 앉은 울먹이는 혜자.

혜자	… 조심해서… 가… 거기서… 잘 지내고…. (창밖 보며 눈물 참는)
준하	(운전만) …
혜자	(울음소리 들릴까 봐 라디오 볼륨 더 올리고)

S# 48   영수 방 (N)

영수, 현주, 앉아 있다.

영수	이건 얘가 나에 대한 마음을 하루하루 기록한 일기. 이건 보면 하트 같지? 잘 보면 볼펜으로 내 이름을 깨알같이 적어 만들어준 하트. 이건 옛날에 유행했어. 운동화 끈으로 만든 매듭. 지 꺼랑 커플로 만들었더라고.
현주	(옆에서 죽고 싶은데)

영수	아!! 여깄다!! 이거면 게임 끝이네. 편지 여기 있다.
	자 봐봐 이건 빼박인 게. 편지 뒷면이 지 사진이야. 중학교 때 사진, 고등
	학교 때 사진. 이건 빼박이지.

[오 그건 빼박이네]

[읽어봐]

[무슨 내용인데]

현주	(이 악물고 작게) 그만해라.
영수	왜? 이제 믿기 시작하는데.
현주	외상값 안 받을 테니까 그만해.
영수	진짜지?
현주	그니까 그만하라고.
영수	형님들 이 정도면 증명됐죠? 맞다니까.

[편지 읽으면 별사탕 천개]

영수	뭐 천 개?
현주	(설마 보는데)
영수	(바로 읽는) 오빠 저 현주예요. 오빠가 저랑 안 사귀어줘도 좋으니까. 제발
	오지 말라. 아는 체하지 말라 그 말은 하지 말아주세요. 저 오빠 여자 친구
	아니어도 좋고 애인이 아니어도 좋아요. 그냥 오빠만 이렇게 바라볼 수
	있게 해주세요.
현주	(버럭) 야!!
영수	(깜짝 놀라는데)
현주	너 정말 나쁜 새끼야!! (나가버린다)
영수	(멍하게 보다가) 왜 저래? 형들 왜 저래? (채팅 보는) 여자를 누가 몰라? 욕하

지 말고. 저게 화낼 일이냐고? 뭐? (채팅 읽는) 실상은 니가 저 여자 좋아하는 거 아니냐? 내가? 에이 아니지 그건? (채팅 읽는) 근데 왜 저 물건들 아직까지 안 버리고 가지고 있냐고? 그건 어쩌다 갖고 있는 거고. 맞긴 뭘 맞아? 그런 거 아니라고….

[그럼 버려봐]

[그래 태우면 인정]

[태우면 만개]

영수　누구야? 태우면 만 개? 누구야? 아이디 기억했다. 안 쏘면 블랙 먹인다.

S# 49　혜자 집 외경 / 주방 (N)

아빠, 통닭 사 왔는지 식탁에 펼쳐놓고 있다.
그때 들어오는 엄마

엄마　(통닭을 보자 놀란다) 생전 안 먹던 통닭을 뜬금없이….
아빠　… 당신 좀 먹지?
엄마　됐어요. 나 손님이 떡 가져와서 대충 먹었더니 배불러…. (안방으로 간다)

멍하니 통닭만 보는 아빠의 모습 위로

[FLASH BACK]
7화 S# 46
혜자　(다리 붙잡은 채 울며) 미안해… 미안해 아빠…. 다 나 때문이야… 미안해… 미안해…. (소리도 못 내고 운다)

아빠	…………

S# 50 미용실 (N)

혜자, 이래저래 복잡한 심경인데
상은, 신나서 뛰어 들어온다.

상은	혜자야!
혜자	왜 거기서 나와?
상은	나 계속 집에 있었다. 나 있잖아….
혜자	(표정 어둡다)
상은	왜? 무슨 일 있나?
혜자	무슨 일은… 없어.
상은	내는 니 표정만 봐도 안다. 무슨 일 있었나?
혜자	아니야 괜찮아.
상은	내가 우리 혜자 기분 또 풀어주는데 도사 아이가? 어떻게 해드릴까요?
혜자	(시큰둥) 그런 거 아니라니까.

그때 미용실 문 열리고.
샤넬, 몸빼, 우현, 우르르 들어온다.
혜자, 홍보관 사람들 보자 표정 환해진다.
그 모습 보는 상은.

몸빼	그렇게 있으니까 진짜 미용사 같네.
혜자	내가 자격증만 없지 실력은 미용사 뺨쳐요.

다들 깔깔거리고 웃는데.

상은, 그렇게 웃고 있는 혜자를 본다.

몸빼, 미용 의자에 앉고.

샤넬, 우현, 그 옆에서 지켜보는.

혜자, 가벼운 손놀림으로 커트하기 시작하는데.

우현   우리 누님 기술자 맞네.

혜자, 현란한 가위질 선보이면.

다들 오~~~

혜자, 뭔가 즐거워 보이고.

그런 혜자를 보는 상은의 표정 어두워 보인다.

S# 51   공터 (N)

영수, 공터에 현주한테 받은 선물들 잔뜩 쌓아 났다.

영수   태운다! 태우는 순간 바로 만 개 쏴. (라이터 켠다) 난 고민도 안 해.

영수, 현주 물건에 불붙인다.

[FLASH BACK]

7화

현주   (쓰러져있는 남자에게) 그래 첫사랑이다 됐냐?!! 그리고 지금도 좋아해. 찐따
고 볼 거라곤 없는 새낀데 내가 좋아한다고. 그러니까 까도 내가 까.

영수, 미친 듯이 달려들어 불 끄기 시작하는데.

불 꺼지지 않는다.

영수, 급한 나머지 바지 지퍼를 내리는데.

그때, 뜨는 영구정지 화면.

〈서비스 이용이 정지된 개인 방송국입니다〉

〈사유 : 음란〉

S# 52   중국집 앞 (N)

현주   (OFF) 외상값 내가 갚으면 되잖아.

현주, 밖으로 나와 오토바이 타려는데,

보면, 오토바이 옆에 쭈그리고 앉아 있는 영수.

영수   현주야. 어디든 좋으니까 나 좀 아무 데나 데려다주면 안 되냐?

현주   … 뭐 하나만 물어보자? 왜 껐어? 그냥 태우고 만 개 받지?

영수   (한숨) …니가 준 거니까.

현주   어차피 버렸을 거 아냐.

영수   … 안 버렸어…

현주   (기겁) 안 버렸다고? 그 오줌 묻은걸?

영수   그걸 어떻게 버리냐….

현주   … 어디로? 바다면 돼?

영수   응.

현주, 타고 영수, 현주 뒤에 탄다.

달리는 오토바이.

현주	궁상맞게 왜 울어? 방송 영정 먹어서 그래?
영수	(그제야 으앙~~~ 하고 울어버리는)

영수, 대성통곡하며 울고,
현주, 가는데, 얼굴에 미소 가득 보이는 데서.

S# 53   미용실 (N)

혜자, 웃으며 안내하면, 샤넬, 미용 의자에 앉는다.
혜자, 상은이 앉았던 자리 보는데.
이미 상은이 없다.

혜자	갔나? (하며 옆을 보는데)

우현, 귀여운 2대8 가르마 타고 앉아 있다.

혜자	(우현에게) 안 가요?
우현	가다니요? 누님 다 끝날 때까지 기다려야죠.
혜자	음… 그럼 나 그거 하나 사다 주면 안 되나?
우현	(벌떡 일어나며) 말씀만 하십시오. 누님.
혜자	파인애플이 먹고 싶은데… 난 토종 파인애플 아님 안 먹어서….
우현	토종 파인애플이요? 금방 갔다 올게요. (후다닥 나가면)
샤넬	근데 토종 파인애플이 있어요?

혜자	(별일 아닌 듯) 있어요. 제주도 가면. (샤넬 머리 만지며) 근데 정말 무슨 좋은 일 있으신 거 맞죠?
샤넬	(웃으며) 왜요?
혜자	옷도 사고 화장품도 사고 머리도 하시고 (작게) 병원도….
샤넬	기왕이면 아들한테 젊게 보이려구요. 엄마 확 늙어버린 거 보면 속상할까 봐.
혜자	아들이요? 온대요 아드님이?
샤넬	우리 아들 바빠요. 내가 가야죠. 미국으로.
혜자	… 연락되셨어요? (아차 실수했구나) 그게….
샤넬	연락이야 맨날 하고 있었죠. 매주 아들이 편지 보내요. 내가 좋아하는 초콜릿 있는데 그거랑 해서 매주 보내요.
준하	(E) 그 할머니 아드님, 정말 외국에 살고 있는지, 죽었는지 모른다구요. 집 나간 뒤로 연락도 없대요.
샤넬	아들한테 보일 거니까 이쁘게 해줘요. 머리.
혜자	… 네. (걱정이다)

S# 54 준하 집 (N)

준하, 누워 있는데, 드르륵 문소리 난다.
준하, 일어나면, 현관으로 들어오는 혜자.

혜자	미안. 너무 급해서… 저기 샤넬 할머니 아들이랑 연락 안 되는 거 맞지?
준하	(갑자기 뭔 소리지?) 네.
혜자	큰일이네….
준하	…
혜자	샤넬할머니가 아들 만나러 미국에 가겠대.

준하	(조금 놀라는)
혜자	아들이 바빠서 못 오는 거면 자기라두 가봐야 되는 거 같다며… 갈 준비 하는 거 같더라구.
준하	……
혜자	(어떻게 할 수 있는 문제가 아니라는 걸 안다) 이렇게 될 줄은 몰랐는데… 어떻 게 해야 되는지… 그래도 알고는 있어야 될 거 같아서….
준하	하…. (괴롭다)

혜자, 그제야 휑한 집안을 둘러본다.

혜자	(먹먹한) 정리 다 했네… 정말 가는구나….

S# 55 홍보관 외경 / 홍보관 (D)

혜자, 홍보관에 도착하자마자 샤넬을 찾는다.

S# 56 홍보관 사무실 (D)

준하, 있는데 행복한 표정의 샤넬, 문 열고 들어온다.

샤넬	(둘러보며) 바쁜 거 아냐?
준하	(나름 긴장) 네, 괜찮아요. 어르신.
샤넬	뭐 좀 부탁하려구 (가방에서 두툼한 봉투 꺼낸다) 저기 나 아들 만나러 가야할 것 같아서… 이걸로 L.A 가는 비행기 표 좀 끊어줬으면 해서… 이 팀장 말고는 부탁할 사람이 없네.

준하   (!!) … 저기 어르신… 잠깐 다른 데서 얘기하실래요?

S# 57   복도 (D)

혜자, 들어가려는데. 전화벨이 울린다.
멀리 준하 따라가는 샤넬 보인다.

상은   (F) 혜자야 나다.
혜자   (맘이 급하다) 응.
상은   오늘 나 앨범 계약하거든 이따 7시에 아르망에서 보자.
혜자   (건성 대답) 어 그래. (끊는다)
상은   (역시나… 서운한)

S# 58   창고 (D)

준하 따라 들어온 샤넬, 한쪽 선반으로 가는데
준하, 선반에서 큰 박스들과 작은 박스 한 개 내린다.
샤넬은 무슨 영문인가 하는 표정.
준하, 작은 박스 열면 편지인 듯한 봉투들 여러 개 보인다.
봉투에서 편지 꺼내 샤넬 보여주면
샤넬, 뭔가 하다가 표정 굳어진다.

준하   아드님 연락이… 안 되는 것 같아요. … 제가 … 거짓말했어요.
샤넬   (편지 보며 아무 말이 없다)
준하   (큰 상자 가리키며) 그동안 보내셨던 소포는 따로 모아뒀어요.

샤넬	(준하의 설명에 눈만 따라가는)
준하	(맘이 안 좋다. 눈시울이 뜨거워진다) ⋯ 죄송해요
샤넬	(그게 아니라는 듯 고개 젓는다)

S# 59   창고 밖 (D)

밖에서 들었는지 못 들었는지 힘없는 혜자의 표정.

S# 60   홍보관 일각 (D)

하늘 보며 앉아 있는 샤넬
혜자 천천히 다가가서 샤넬 어깨를 토닥이고.
샤넬, 혜자에게 억지로 미소 지어 보이는.

S# 61   거리 외경 / 홍보관 사무실 (N)

심각한 표정의 희원.
희원, 소리도 질렀다가, 다독였다가
준하를 설득하고 있는 모습이 보인다.

S# 62   홍보관 봉고 (N)

병수, 운전석에 있고. 혜자, 우현, 몸빼할머니, 등이 타고 있다.

혜자	샤넬 할머니는요?
우현	아까부터 안 보이시던데. 먼저 가셨나?
혜자	(걱정스런)

S# 63   프라하 모텔 (N)

207호 앞
혜자, 문에 노크하고 있다.

혜자	여사님. 저 희선이에요. 문 좀 열어보세요.

대답 없자. 힘 빠지는 혜자
뭔가 곰곰이 생각하는 모습.

S# 64   아르망 (N)

시무룩한 상은, 앉아 있고, 그 앞에 현주 앉아 있다.

현주	온다 그랬다며?
상은	근데 안 오잖아.
현주	뭐 일이 있나 보지.
상은	으앙~~~ (울기 시작하는)
현주	(놀라) 왜에? 시끄러 뚝!!
상은	(우는)
현주	울지 말라니까.

상은	변했어… 나 만나도 반가워하지도 않고, 우리랑 있을 때보다 다른 사람들 이랑 있을 때 더 즐거워 보인다. 혜자 변했다~ (으앙)
현주	아 진짜.
혜자	(OFF) 변했지 그럼.

현주, 상은, 돌아보면

혜자, 케이크 들어 보이며 웃고 있다

혜자	친구가 쭈그렁 할머니로 변했는데. 둘이 모여서 내 뒷담화나 까고 계시고 잘 한다 진짜.

상은 울음 터트린다.

(Cut to)

사이좋게 케이크 먹고 있는 셋

상은	(현주에게 이르는 듯) 나 볼 때는 (흉내 내며) 그런 거 아냐… 이러다가 홍보관 할머니들 오니까 얼굴이 환해져가지고 얼마나 즐거워하든지… 친구래… 우린? 우린 친구 아니야?
혜자	니들이 결정해. 계속 친구 할지… 말지….
현/상	(??)
혜자	니들 나랑 있으면 눈치 보잖아. 나도 니들이랑 있으면 눈치 봐. 힘든데도 안 힘든 척하고. 니들은 즐겁지 않은데 즐거운 척하고. 우리 다 불편하잖아.
현주	불편하니까 친구하지 말자고?
혜자	난 더 이상 스물다섯이 될 수 없어. 다시 니들처럼 그렇게 될 수 없다고. 몇십 분 걸으면 그 걸은 몇십 분 만큼 쉬어야 하고, 내가 걸어가야 할 자리 보다 내가 앉아야 할 자리가 더 먼저 눈에 들어와. 니들이랑은 똑같이

걸을 수 없잖아.

현주 너 바보냐?

혜자 (보는)

현주 체력 좀 딸리고, 노래방에서 노래하다 말고 졸고 그런 애들이랑은 친구
하면 안 되는 거냐?

혜자 그런 얘기가 아니잖아.

현주 아니면? 가다가 힘들면 쉰다 그러면 되는 거 아니야? 10분이고 20분이고
너 쉴 동안 기다리면 되는 거잖아. 앉아서 쉴 자리가 필요하면 얘기해. 우
리가 먼저 가서 맡아 놓을게. 우린 스물다섯의 혜자가 필요한 게 아니고
그냥 혜자 니가 필요한 거야.

상은 난 우리랑만 친구 하자 그러는 게 아니다. 내가 슬픈 건 니가 다른 사람들
때문에 우리랑 친구 안 하자 할까 봐 그게 슬픈 거다.

혜자 미안해….

현주 그럼 미안해야지. 친구 할지? 말지? 결정하라니… 그게 할 말이냐?

혜자 미안하다 그랬다 그만해라.

현주 안 한다 그러면 어쩌려고 그랬냐?

혜자 그만하랬다!

혜자, 현주, 상은, 씩 웃는.

현주 이 언니의 넓은 품으로 와라!!

혜자, 상은, 현주 품으로 안기는.

현주 (상은에게) 야 우리 혜자네 홍보관 사람들한테 우리 혜자 잘 봐달라고 한
턱 쏴야 되는 거 아냐?

혜자 안 간다니까 이제 거기.

상은   (울다가 벌떡 일어나더니) 가자.

현주/혜자   어딜?/ 어디를?

S# 65   사진관 (N)

혜자, 현주, 상은, 서로 옷매무새 만져주고 있다.

상은   접때 못 찍은 게 한이 되가 내가 죽어도 눈을 못 감을 것 같아가….

혜자   (피식) 오바는….

사진사   보기 좋네요. 근데 세 분 관계가… 어떻게 되세요?

혜자/현주/상은 (서로 쳐다보며/ 환하게) 친구요!!

셋, 사진 찰칵 찍히고.

그 구도로 젊은 혜자, 현주, 상은 모습으로 바뀌고.

S# 66   홍보관 외경 / 홍보관 복도 (D)

급히 들어오는 혜자 보인다.

두리번거리며 노인들에게 샤넬 봤는지 물어본다.

S# 67   사무실 (D)

사무실로 들어오는데 준하는 없고 연아와 다른 직원 몇 있다.

혜자	(불안하다/ 연아에게) 이쥰하 팀장은 어디…?
연아	안 나오셨어요… 곧 그만두신다는 얘기는 들었는데….
혜자	(그랬구나/ 힘없이 나가려는데)
연아	참… 어르신 손녀분들한테 연락 왔어요… 오늘 덕분에 다들 즐거우실 거 같아요.

연아를 비롯한 다른 직원들도 신난 표정.

S# 68 홍보관 마당 또는 로비 (D)

영수, 현주, 상은, 갖고 온 음식들 나르고 있다.

S# 69 홍보관 식당

할머니들, 할아버지들 앞에 중국요리 잔뜩 차려 있다.
혜자, 옆으로 현주 온다.

혜자	이게 다 뭐야?
현주	얘기했잖아. 우리 혜자랑 싸우지 말고 잘 지내라고 한턱 쏘는 거야.
혜자	내가 애냐?
현주	몸만 늙은 애지. (웃으며) 혜자 친구들 많아서 좋겠네.

현주, 쓱 훑어보는데.
우현, 방긋 웃으며 오고 있다.

우현	오늘 날씨가 참 좋죠?
혜자	싫어요.
우현	네. (바로 가는)
현주	(헉) 저분이… 그 개밥그릇이셔?
혜자	응. (두리번거리는)
현주	누구 찾아?
혜자	아니 그냥 안 보이는 사람들이 있어서.

S# 70   준하 집 앞 (D)

이것저것 별거 없는 짐을 박스에 담아서 내놓는데
앞으로 다가서는 누군가.
보면, 결연한 표정의 샤넬할머니다.

영수	(OFF) 오래 기다리셨습니다. 방금 데뷔를 마친 따끈따끈한 신인가수를 소개합니다.

S# 71   홍보관 식당 (D)

영수	트로트의 신동, 송~~상은!!

반주 시작되고 무대의상 입은 상은 등장한다.
상은 노래 부르면, 할머니 할아버지들 좋아하는 모습들
혜자도 현주도 영수도 다들 행복한 얼굴이다.

S# 72   도시 외경 / 강가 (N)

조용하고 평화롭게 흐르는 강물.
그 강물 위로 시체 하나가 떠내려온다.
강둑에 걸려 멈추는 시체. 샤넬할머니인 데서.

Episode 9

S# 1   몽타주 (D)

샤넬 할머니의 죽음에 관한 뉴스가 나오는데 관심을 두지 않는 사람들 모습.

// 식당
샤넬할머니의 죽음 관련 기사가 TV를 통해 나오고 있고.

앵커   다음 뉴스입니다. 어제 새벽 5시경 용천 강 하구에서 70대 여성으로 추정
되는 변사체가 동네 주민에 의해 발견되어 수사에 착수하고 있습니다.

사람들 웃으며 식사하면서 TV에 시선도 주지 않는 모습.

// 커피숍
TV가 켜진 가게들에서도 반응이 없고,

앵커   소지품에서 나온 신분증 확인 결과 서울 자곡동의 최모 씨로 신분은 밝혀
졌지만

TV 채널 돌아가면 연예프로그램 보이고

// 길거리
누군가의 휴대폰에 떠 있는 샤넬의 기사 제목
〈용천 강 하구에서 70대 노인 변사체 발견〉
휴대폰 주인, 샤넬의 기사 대신 밑에 있는 연예인 기사를 클릭하고.
노인의 죽음을 아무렇지 않게 일상적으로 받아들이는 모습들.

S# 2   미용실 (D)

할머니들이 머리하고 있는 미용실 TV에서도 샤넬 뉴스가 나오고

앵커   경찰은 최모 씨가 시신으로 발견된 용천 강 일대에 연고가 없는 점, 도난
           당한 물품이 없는 점 등을 들어 사인은 아직 조사 중이라고 밝혔습니다.

다들 뉴스 소리가 들리는데도 다른 얘기에 빠져있느라 신경도 안 쓰고

할머니1   알고보이까 그 집 둘째가 밖에서 낳아 온 애라 안 카드나….
엄마   (머리 해주며) 어머 어쩐지… 애 얼굴이 엄마랑 닮은 구석이 하나도 없다
            했어… 그렇다고 아빠를 닮은 것도 아니고….
할머니2/3 (같이 반응) 아이구… 웬일이래유…./ 어쩐지… 내가 수상하다 했어….

공허하게 미용실에 울리는 마지막 앵커 멘트.

앵커   경찰은 사고사가 의심되지만 타살 가능성도 염두에 두고 수사 중입니다.

S# 3   동네 골목 (D)

심심한 표정의 혜자, 괜히 동네를 천천히 돌아다니다가
어느 골목에 턱 멈춰서고.
그리곤 골목 쪽으로 들어가서.

S# 4   **준하 집 앞** (D)

혜자, 텅 빈 준하 집 앞에 와서 서 있고.

혜자   말 목 자른 김유신도 아니고 상습적으로 이 집 앞이지. 김유신은 말 목이
        라도 잘랐는데 난 발목이라도 잘라야 되나… (그러다 집안을 넘겨다 보고) 없
        나… 벌써 갔나?

인기척이 없자 많이 궁금한 듯 옆에 있던 뭔가를 딛고 올라서서 보고.

혜자   갔네… 진짜 갔네… 어쩜 정 없이 하나도 안 남기고 빈집처럼 치워 놓고
        갔냐…. (하다 한숨) 어디로 가는지 물어라도 볼걸….

서운해서 발을 못 떼고 담장에 턱 괴고 한참을 보는.

S# 5   **미용실** (D)

혜자, 힘 빠져서 터덜터덜 들어오는데

엄마   (수건 개며) 만났어?
혜자   … 아니… 벌써 갔나 봐. 좋은 데로 갔나부지.
엄마   어딜? 여행가셨어 그 할머니?
혜자   (의아) 할머니? 무슨 할머니?
엄마   어. 왜 접때 너 현주랑 상은이 만나러 나갔을 때 오셨던 그 고운 할머니…
        지금 할머니 만나러 갔다 온 거 아니였어?
혜자   고운 할머… (잠깐 생각하다) 아. 샤넬할머니가 오셨었어? 그때? 왜?

엄마	난들 아냐. 너 찾으시는 것 같길래 들어와서 기다리시라고 했더니… 갈
	데가 있으시다고.
혜자	나를?…

혜자, 순간 떠오르는 생각.

[FLASH BACK]
8화 S# 60
준하로부터 아들 진실을 듣고 망연자실해 있던 샤넬.
멀리서 그런 샤넬을 보고 있다가 다가가서 등을 쓸어주는 혜자.
그런 혜자에게 억지로 웃어 보이는 샤넬의 얼굴.

S# 6   프라하 모텔 외경 (D)

⒠ 문 두드리는 소리

S# 7   프라하 모텔 207호 (D)

가쁜 숨 몰아쉬는 혜자, 문 계속 두드리고.

혜자	(문 두드리며) 저예요. 희선이… 안 계시나?

그때 문 열리는데 젊은 남자가 나오고.

젊은남자	(자다 나온 듯) 뭔데요?

혜자   (당황) … 누구세요?

S# 8   프라하 모텔 앞 또는 거리 일각 (D)

망연자실한 혜자, 힘이 빠진 듯 계단 중간에 털썩 주저앉고.

주인   (E) 며칠 전에 숙박비 다 정리하고 나가셨는데….

혜자   (E) … 어디 가신다고 하셨어요?

주인   (E) 저도 여쭤봤는데 웃기만 하셔서….

혜자   (후회) 뭔가 얘길 하러 오신 걸 텐데… (E) 그때 내가 있었어야 됐어. 아 하 필이면… (하다 불안한 듯 심장 쪽에 손대며) 아무 일도 없겠지? 근데 왜 이렇게 불안하지? (안절부절 못하는)

S# 9   홍보관 사무실 (D)

희원과 병수, 앉아서 짜장면 비비고 있는데 전화 걸려 오고.

희원   (전화번호 보더니 확 짜증) 아… 야 내 것 좀 비벼놔. (그리곤 바로 얼굴 밝게 하고 전화 받으며) 아이고 형님! 이게 얼마 만이세요. 잘 지내시죠? 아… 왜 못 지내실까 우리 형님이? (듣다가 표정 좀 어두워지며) 아 투자금. 글죠. 저도 어떻게든 형님 돈부터 먼저 갚아 드리려고 노력 중인데 이게 생각만큼 수금이 안 되네요. 하하하하…. (진땀 나는 듯 이마 닦고)

병수   (얼른 냅킨 건네고)

희원   (받아서 땀 닦으며) 에이 날르긴 누가… 제가 날른다고 어디 형님이 못 찾아 내시겠어요? 형님 동생들이 아직도 전국에서 얼마나 활약 중이신데… 하하하…. 네? 아 이 타이밍에 또 제 건강까지 챙겨주시네요. 아 신장이요? 그게 제가 요즘 소변도 잦고 냄새도 진하고 거품이 아주… 눈이요? 요즘 자꾸 헛걸 봐요. 제가… 간이요? 제가 지방 출신이라 그런지 아직 지방간이…. (땀 막 닦고) 네 며칠 내로 돈 들고 형님 좋아하시는 30년산 사 들고 찾아뵙겠습니다. 아니에요. 뭐 꼭 찾아오실 필요 없구요. 네네 들어가세요. (전화 확 던지고는) 아우 개새끼! 왜 자꾸 남의 오장육부에 집착을 해!

병수 어 안 끊겼다.

희원 (후다닥 달려가 전화 들며) 형님! 그게 아니구요… (보면 끊겼다)

병수 농담….

희원 (뒤통수 팍 때리는) 웃기냐? 좋냐?

병수 (먹다가) 돈 갚으래요? 얼마였죠? 1억이었나?

희원 (괴로워하며) 1억에 이자 붙어서 1억 3천. 하… 아무리 돈이 급해도 깡패새끼 돈은 빌리는 게 아니었는데…. (짜장면 먹으려다) 입맛 싹 가셨네.

희원, 병수, 아직 먹지도 않은 그릇들을 정리하기 시작하는.
병수, 어떻게든 더 먹으려고 그러는데.
희원, 힘으로 빼앗아 정리하는.

병수 하루 한 끼는 좀 제대로 먹읍시다!

희원 한 끼 한 끼 챙겨 먹다 오장육부 건강해지면? 니껀 안전할 줄 알지? 보험 서류나 잘 간수해 시키야! 돈 나올 데 거기밖에 없어.

그때 바깥쪽에서 심하게 문 두드리는 소리에 희원과 병수, 흠칫 놀라고.

병수 (놀라) 벌써 왔나?

희원 야… 나가봐.

병수 (숨으며) 아 싫어요. 돈 빌린 건 형님이잖아요.

| 희원 | (째리며) 이 의리 없는 새끼… 내가 뒈지기 전에 니 본적이랑 연락처부터 불고 죽을 거다. (겁내며 걸어 나가고) |

S# 10   사무실 앞 (D)

혜자, 닫힌 문 두드리며 초조하게 서 있는데
손에 마대걸레 자루 들고 긴장해서 다가오던 희원.
혜자임을 알아보고는 힘 확 빠진 듯 짜증 내는 얼굴.

희원	(문 열고) 아… 진짜. 할머니 쫌!!
혜자	그 샤넬 할머니 연락처 있음 좀 알려줘 봐요.
희원	다짜고짜 찾아와서 무슨 연락처예요. 그 할머니 연락처는 우리도 몰라요. 가세요.
혜자	그래도 들어올 때 인적사항 적었었잖아요. 거기 적었을 수도 있으니까 들어가서 좀 찾아봐요. 내가 찾을까? (들어가려 하고)
희원	(막고) 에헤이… 없다니까요. 거참… 그 할머니 인적사항 같은 거 하나도 안 적었어요. 가끔 안 오실 때 우리도 연락처 없어서 연락도 못 했다구요.
혜자	(답답) 그럼 저기 준하 연락처라도… 아니 여기서 전화 좀 해봐요.
희원	내가 무슨 공중전화예요? 아 거 진짜 귀찮게 구시네.
혜자	(희원 등판 짝! 때리며) 아 얼른!!
희원	(등판 맞자 조금 온순해져서) 아… 딱 한 번만이에요. (휴대폰에서 번호 찾으며) 준하 이 자식 우리 버리고 혼자 여행 가서 신났을 텐데 무슨 전화를…
안내멘트	(E) 없는 번호이거나…
희원	없는 번호래요.
혜자	(못 믿고 전화기 뺏고) 어디? (들어보더니) 뭐야. 번호 없애고 간 건가?
희원	여행 갔다구요. 언제 돌아올지 모르는 여행! 근데… 보험은… 드셨나?

혜자   (걱정스런 표정)

S# 11   공항 외경 / 공항 안 (D)

준하, 캐쥬얼한 복장에 배낭 하나 메고 공항으로 들어서고.
바로 티켓팅 부스에 가서 서고.
준하, 잠시 직원과 얘기 후 티켓을 받고 돌아서는데
그때 준하에게 다가온 형사 둘.

형사   이준하 씨죠? 경찰입니다.
준하   (의아한 듯 보는)

S# 12   경찰서 안 (D)

준하, 넋이 나간 표정으로 경찰서에 앉아 있다.

준하   … 돌아가셨… 다구요…?
형사   네. 고인과는 홍보관에서 일하면서 알게 된 사이라면서요? 홍보관에서 일
              했어요? 홍보관이 그런 데 맞죠? 노인들한테 가짜 건강식품 같은 거 팔고…
준하   … 네….

S# 13   홍보관 안 - 회상 (D)

홍보관에 첫 출근한 준하, 양복을 입고 멀뚱멀뚱 서 있고.

앞에 선 초대 가수 노래에 신나하는 어르신들도 어색하고
한 할머니가 신이 나서 춤추자 같이 박자 맞춰 춤추는 회원도 어색하고.
그때 준하에게 다가와 서는 뽀삐 할아버지.

할아버지   (흐뭇한 표정으로 강아지 어르는)

준하   (뭔가 말 붙이려) 강아지가 참 귀엽네요.

할아버지   (얼른 뽀삐 귀 막고는 버럭) 누구한테 강아지래? 얜 내 딸이야! 딸!

준하   (당황) … 죄송합니다….

할아버지   (궁시렁) 싸가지 없는 놈…. (강아지 어르며 가버린다)

준하, 난감한 표정으로 서 있다가 밖으로 나가고.

S# 14   홍보관 정원 일각 – 회상 (D)

준하, 넥타이를 느슨하게 푸르며 정원 한쪽 의자에 와 앉는데
안쪽에서 인기척이 느껴지고.
준하, 보는데 샤넬, 가방을 가슴에 안은 채 한쪽 의자에 나와 앉는다.

샤넬   (혼잣말처럼) 이런 데 싫어 정말이지….

준하   … 저도 싫어요.

샤넬   (의외라는 표정으로 보는데)

준하   친한 형이 하는 거고… 너무 많이 도와준 형이 하는 거라 같이 하기로는
했는데…. 모르겠어요. 뭐라고 얘길 해도 어르신들 쌈짓돈 뺏는 짓인 건 맞
는 것 같고….

샤넬   당연하죠. 젊은 사람이 뭐 할 짓이 없어서….

준하   (씁쓸하게 웃으며) 그러게요… 젊은 놈이 뭐 할 짓이 없어서…. 뭘 해야 될

까요….

샤넬　(준하 힐끗 보고는) 허우대도 멀쩡하고 목소리도 좋고 한데 뭐가 걱정이에요. 뭐 여깄는 노인네들처럼 아무것도 못 하게 늙어버린 것도 아닌데….

준하　하루아침에 자고 일어나니 백 살쯤 된 기분이에요. 뭘 해야 할지도 모르겠고… 뭘 할 수 있는지도 모르겠고….

샤넬, 준하를 물끄러미 보다가 가방을 뒤진다.
그러더니 하얀 큰 약병을 하나 준하에게 건네고.

준하　… 우울증약이에요?

샤넬　아니 죽는 약.

준하　(흠칫 놀라는데)

샤넬　남편 떠나고 아들 미국 가면서 우울증이 와서… 죽으려고 모았는데… 그만큼을 다 먹어야 죽는다니 그걸 다 먹을 자신이 없는 거야… 죽을 자신은커녕 그거 다 먹을 자신도 없어….

준하　(무슨 의민지 이해하는 듯)

샤넬　그래서 들고만 다녀. 내가 얼마나 배짱 없는 사람인지 깨닫기 위해서…. 필요해? 며칠 빌려줄까?

준하　(병 만지작거리며 피식)

샤넬　(그런 준하 보며 피식)

같이 따뜻한 햇볕 쬐며 앉아 있는 준하와 샤넬.

S# 15　경찰서 안 (N)

준하　(여전히 멍하다) … 언제…?

형사	아 사망시각이요? 지금 부검 중이라 끝나봐야 정확한 사망 날짜, 시각이 나올 것 같은데… 정황상으론 이준하 씨 공항에 데려다준 그날 저녁 정도로 보여요. 그 이후로 행적이 안 나오니까. 그때 같이 공항에 온 건 맞죠?
준하	… 네….

S# 16   공항 - 회상 (D)

출국장 문 앞에 서 있는 준하.

준하	(E) 제가 여행을 간다고 하니까… 매번 제가 모셔다드렸으니 이번엔 당신이 데려다주시겠다고….
형사	(E) 그리고 출국장에서 헤어졌죠?

그때 샤넬, 저쪽에서 손에 비닐봉지 하나 들고 다가오고.

준하	(E) 네… 가서 아프지 말라고 상비약 사다 건네주시고… 손 흔들어 주시던 게…. 끝입니다.

S# 17   경찰서 (D)

형사 끄덕끄덕 거리며 키보드로 입력하고는

형사	근데 그날 왜 출국 안 한 거예요?
준하	… 비행기 결함으로… 비행이 취소됐다고 해서… 연결편도 며칠 뒤에나 가능하다고 해서요.

형사	아… 혹시 어디로 가려고 했는지 물어봐도 돼요?
준하	…
형사	뭐… 개인적인 내용은 대답 안 하셔도 됩니다.

그때 형사2, 형사에게 다가와서 작게 얘기하고.

형사	아 도착했대? 알았어. 바로 갈게. (자리에서 일어나며) 잠깐만요. 다른 참고 인 조사가 필요해서. 아 배고프시면 식사시켜드릴 수 있는데….
준하	… 아닙니다.

형사, 자리에서 일어나서 입구 쪽으로 가는데 그때 형사2와 함께 들어오는 40대 남자.

형사	(남자보고는) 아 아드님. 상심이 크시겠네요.
남자	(무덤덤) 아… 네….
준하	(아들이란 얘기에 고개 돌려서 남자를 보는)

형사가 40대 남자를 데리고 다른 쪽으로 사라지고.
준하, 멍하니 앉아 있는데 떠오르는 얼굴.

[FLASH BACK]
S# 17 뒤 상황
닫히는 출국장 문 너머로 손 흔들던 샤넬의 얼굴.
웃고 있는데 슬퍼 보이던 얼굴.

S# 18   홍보관 창고(D)

창고 안쪽에 물건 숨기느라 난리인 희원과 병수.

희원   야 그걸 그렇게 넣으면 다 망가지지!! (직접 나서서 하며) 다른 데 가서 이거
          라도 팔아야 돈을 갚을 거 아냐?!

병수   이건 어떻게 해요? 유통기한도 얼마 안 남은 건데.

희원   버려 그건.

병수   (봉지에 우르르 쏟아 넣는데)

희원   잠깐만!!! (봉지에 있는 거 꺼내는/포도즙 같은 제품) 아까워. 나라도 먹어야지.
          (쪽쪽 빨아 먹는다)

병수   그거 먹으면 신장 튼튼해지는데?

희원   아씨… (버린다) 그치 건강해지면 신장 날아가지. (옷매무새 바로하고) 야! 나
          뭔가 수상해 보이냐?

병수   (물건 챙기며 건성으로) 얼굴이 좀 수상해 보여요.

희원   (짜증) 진짜… 이딴 걸 오른팔이라고… (나가며) 야 박스 안 구겨지게 잘
          챙겨.

병수   (짜증) 아 갑자기 웬 경찰이래…

S# 19   홍보관 사무실 (D)

찾아온 형사들과 얘기 나누는 희원의 모습 보인다.
계속 온화한 미소를 띠며 태연한 척하려 다리도 꼬고.

형사   (대충 조사 끝난 듯) 근데… 뭐 팔았어요?

희원   (당황) 네? (바로 다리 풀고 공손히 앉아서) 별거 없습니다. 어머님 아버님 건강

에 좋은 건강 보조식품들. 다 허가받은 제품들로만….

형사2　뭐 이거 단속하러 나온 거 아니니까 긴장 푸시고.

희원　네. 감사합니다.

형사　(일어나며) 암튼 협조 감사합니다.

희원　(따라 일어나며) 저기… 그럼… 그분은 사고사인 건가요?

형사　좀 더 알아봐야 할 것 같은데… 일단은 그렇습니다. 가볼게요. (나가고)

희원　(꾸벅 인사) 네 살펴 가십시오. 법을 지키는 착한 소시민으로 살겠습니다!

형사들 돌아가자 희원, 털썩 소파에 주저앉고.
그때 눈치 보며 들어오는 병수.

병수　(놀란 눈치) 그 할머니 왜 돌아가셨대요?

희원　일단 사고사일 수도 있다는데… 야. 우리 그때 보험 든 거. 1인당 사망보
　　험금이 얼마였지?

병수　1억이죠. (하다 좋아라) 형님…

희원　(병수 확 끌어안고) 진짜 죽으란 법은 없구나. (하늘 보며) 할머니 쌩유!!

희원, 병수, 보험금 얘기에 신난 분위기.

S# 20　　혜자 동네 경찰서 (D)

혜자, 동네 경찰서에 가서 하소연 중이고…
앞 회차에 나왔던 경찰들, 못 말린다는 표정으로 혜자 보고.

경찰　하이고… 할머니 사람 찾는 게 취미세요?

혜자　(안절부절) 이번엔 진짜 큰일일 수도 있을 것 같아서 그래요.

경찰	아니 할머니 말씀대로면 미국에 있다는 아들이 한국에 있는 걸 알게 된 할머니가 그 아들 만나러 가셨을 수도 있죠.
혜자	아들 만나러 가는데 짐을 다 정리하고 가요?!
경찰	아들이 지금까지 불효했으니 이제라도 효도하겠다고 모시고 살겠다고 했을 수도 있고….
혜자	(버럭) 그쪽 어머니가 사라졌어도 이렇게 할 거예요?!!
경찰	(어이없고) …할머니….

혜자, 화나서 나가버리고.

S# 21   동네 전경 / 혜자 집 거실 (N)

모여앉아 저녁 먹는 가족들.
혜자, 샤넬 할머니 생각에 밥도 뜨는 둥 마는 둥.
TV에선 뉴스 나오고 있다.

엄마	괜찮으실 거야. 진짜 아들이 와서 모셔갔을 수도 있고….
혜자	… 그럴 놈이면 그렇게 2년 동안 편지 한 통 안 했을까?…
아빠	사람마다 말 못 할 사정이란 게 있으니까….
혜자	…

그때 뉴스에서 샤넬 할머니 기사가 나오고…

앵커	그 밖의 사건 사고 소식입니다. 그제 새벽 용천 강 하구에서 변사체로 발견된 79세의 최모 씨가 그동안 일정한 주거 없이 자곡동의 한 모텔에서 장기 투숙을 해온 걸로 밝혀졌습니다.

순간 국그릇에서 그저 휘저어지던 혜자의 수저가 뚝 멈추고.
아빠와 엄마도 TV 뉴스에 시선을 주는데

앵커　경찰은 부검을 통해 타살의 흔적이 없는 점 등을 들어 자살에 무게를 두
　　　　고 있습니다. 사업 실패 후 미국으로 간 아들과 연락이 닿지 않아 힘들어
　　　　했다는 주변 사람들의 증언을 토대로 신변비관으로 인한 자살…

혜자, 앵커의 목소리가 웅웅대며 더 이상 들리지 않는다.

아빠　(혜자 얼굴을 보니 심상치 않다) … 괜찮아?
혜자　(손에 수저를 쥔 채 굳었다)
엄마　어머. 혜자야!! 영수야 방에 이불 깔어.
영수　(놀라서 방으로 달려가고)
아빠　(혜자의 손에서 수저를 빼내고) 혜자야. 정신 차려! 어?

S# 22　　혜자 방 (N)

혜자를 부축해 영수가 깔아놓은 이불에 앉혀놓는 아빠.
혜자, 여전히 멍하니 앉아만 있고.

엄마　(혜자 팔다리 주무르며) 아 뭐해. 얼른 주물러.
영수　(얼른 따라 하고)
아빠　(그런 혜자 모습에 놀란 듯 보고 있고)
혜자　(반쯤 넋 나간 채) … 내가 머리 해줬어… 아들 만나러… 간다고 해서….
아빠　… 그래. 그래….
혜자　… 나랑… 백화점도 갔고….

아빠	… 혜자야….
혜자	(멍한 채로 눈물만 뚝뚝 흘리며) 나한테… 왔었는데… 얘기하러 온 거였을 텐데… 내가 막았어야 했는데… 내가… 내가….

그런 혜자를 안타깝게 보던 엄마, 혜자 눈물을 닦아주고.

S# 23　　홍보관 (N)

희원, 짜증 난 듯 앉아 있는데 앞에 탕수육에 팔보채에 음식 많고.
병수, 눈치 보며 탕수육을 뜯어서 소스를 붓는데

희원	(확 짜증 내는) 아이씨! 젠장!!
병수	(놀라) 아 형님 찍먹이세요? 여기 안 묻은 거 있습니다. 여기… (젓가락으로 막 걷어내는데)
희원	아 노친네… 끝까지 도움이 안 되네… 왜 자살을 해 왜… 어차피 좀 있음 갈거….
병수	(조심스런) 자살하면… 보험금 못 받는 거죠?
희원	당연하지. 아… 진짜… (하다) 야… 누가 이렇게 감칠맛 풍부하게 많이 시키래? 무슨 잔치 하냐?
병수	아니 형님이… 보험금 나올 거라고… 먹고 싶은 거 다 시키…
희원	(째려보자)
병수	(바로 전화 걸고) 거기 장금성이죠? 이거 음식 좀 취소하려구요. 비닐도 안 뜯었어요. 아 안 되는 게 어딨어요.

S# 24   현주 중국집 (N)

막 배달 마치고 온 현주, 전화 들고 짜증 내고.

현주   비닐을 뜯든 안 뜯든 음식은 반품이 안 된다구요. 아 무조건이 어딨어요
진짜….

영수   (주방에서 나오며) 왜? (자기에게 전화 넘기라는 시늉)

현주   (전화 넘겨주고)

영수   (괜히 목소리 깔고) 저기 사장님. 아 사장님 아니에요? 그럼 부장님. 그 다 불
어 터진 거 갖고 와서 누구보고 먹으라고 반품입니까? (사이) 그쪽 분위기
험악한 건 우리가 알 바 없고!! 안 됩니다. 안 되는 건 안 돼요!!

현주   (영수 카리스마 있는 모습에 살짝 심쿵) … 어디서 지금….

영수   앞으로 이런 전화 있으면 바로 오빠한테 넘겨! 오빠가 앞으로도 다 알아
서 할게. 알았니?

현주   (얼결에/ 여자여자하게) 응.

영수, 주방으로 가고
현주, 따라가서 보면
영수, 현주 아빠가 시킨 듯 양파 잔뜩 쌓아 놓고 썰고 있다.
거의 흐느끼듯 눈물 흘리며 양파 썰고 있다.

현주   (짜증) 아… 아빤 처음 하는 사람한테… 쯧 (하다가 영수에게) 나와!

현주, 양쪽에 칼 잡고 양파를 막 썰어댄다.
그런데 눈물 한 방울 안 흘리는.

영수   (놀란다)

144

현주, 마치 난타하듯 요리 재료들을 다듬어대고.
무심한 얼굴로 엄지손가락으로 영수 얼굴에 튄 재료를 툭 떼주기까지.

영수　　　(심쿵)
현주　　　마무리만 하구 가!

다시 영수한테 칼 들려주고 나가는 현주.
어느새 탑처럼 쌓여있는 정리된 재료들.
멍한 영수, 그런 멋진 현주의 모습에 심쿵하고.

S# 25　　경찰서 외경 / 경찰서 안 (N)

준하, 여전히 멍한 채로 앉아 있는데 형사, 다가와서 앞에 앉고.

준하　　　… 어떻게 된 건가요?
형사　　　아… 뭐 좀 뻔한 패턴인데… 아들 때문인 것 같네요.
준하　　　아들요?
형사　　　어제 왔다 가신 분이 아드님이신데… 돌아가시기 전에 집에 오셨었답니다.
준하　　　그건 알아요. 제가 모셔다드려서….
형사　　　아 그래요?

S# 26　　준하 집 앞 - 회상 (D)

이것저것 별거 없는 짐을 박스에 담아서 내놓는데
앞으로 다가서는 누군가

보면, 결연한 표정의 샤넬할머니다.

준하   어르신… 무슨 일 있으세요?

샤넬   (민망하지만) … 아무래도 아들을 보러 가야 될 것 같애.

준하   (난감) 말씀드렸잖아요. 아드님…

샤넬   (O.L) 한국에 있대. 서울에….

준하   (놀란) !!!!

S# 27   경찰서 (D)

경찰   아… 연락이 안 됐던 거예요? 그동안? 근데 아들 미국 간 지는 2년이 넘었
            다면서요?

준하   …

경찰   근데 2년이 연락이 안 되는데 의심을 안 했다? 이상하지 않아요?

준하   … 그게 …그동안 제가 편지를 써드렸습니다.

경찰   … 아들인 척?

준하   네….

경찰   왜요? 상심하실까 봐 그런 거예요?

준하   …

경찰   아 근데 아들 보러 미국 간다고 나서니까 솔직하게 얘기할 수밖에 없었던
            거고….

준하   …

경찰   (끄덕끄덕) 그래서… 결국 아들이 연락도 없이 한국에 들어와 살고 있었던
            걸 다 알고도 아들을 보러 간 거네요?

S# 28   준하 집 회상 (D)

준하   … 안 가시면 안 돼요?

샤넬   … 그냥 잘 살고 있는지만 보고 오려고. 손주들도 많이 컸을 것 같고….

준하   (고민되는 표정)

샤넬   내 걱정하는 거면…. 괜찮아. 그래도 아들 보러 가는 건데… 좋지 뭐. (애써
          웃어 보이고)

준하   그럼. 모셔다드릴게요.

S# 29   아파트 단지 앞 – 회상 (D)

주소에 적힌 아파트 앞에 도착한 택시에서 내리는 준하와 샤넬.

샤넬   (긴장한 듯) 여기야?

준하   같이 가 드릴까요?

샤넬   아냐. 괜찮아. 나 뭐라도 사가야 되는 거 아닌가 모르겠네. 손주들 과자라
          도 좀 살까?

준하   오늘은 그냥 다녀오시고. 다음번에 하시죠.

샤넬   그럴까?

준하, 바들바들 떨리는 샤넬의 손을 본다. 안쓰럽고…

샤넬   혹시 오래 걸릴지도 모르니까….

준하   걱정 마세요. 기다릴게요.

샤넬, 천천히 아파트로 걸어 들어가고.

준하는 아파트로 들어가는 샤넬을 보다가 편의점으로 들어가고.

준하　　　(E) 한 20분 정도 있다가 나오셨어요. 다행히 얼굴이 밝아 보이셔서….

S# 30　　경찰서 (N)

형사　　　(의아) 밝아요? 표정이?
준하　　　네. 이번 주말에 아드님 내외랑 식사하기로 했다고…. (하다!!) 하…

S# 31　　편의점 - 회상 (D)

편의점에서 기다리던 준하, 음료수 마시고 시계를 보다가 편의점을 나서는데

S# 32　　아파트 단지 앞 - 회상 (D)

이미 아파트 밖에서 두리번대고 있는 샤넬.

준하　　　왜 이렇게 빨리 나오셨어요? 괜히 저 때문에….
샤넬　　　(웃으며) 아냐. 주말에 같이 밥 먹기로 해서… 긴 얘기는 그때 할려구….
준하　　　(좀 의심스러운) 어떠셨어요?
샤넬　　　뭐… 미안하다 그러지… 내가 집 팔아서 준 돈 들고 미국 갔는데 거기서
　　　　　　도 망하니까 나한테 연락할 면목이 없었대….
준하　　　아….
샤넬　　　세상에 미국 갈 때 걷지도 못하던 막내가 벌써 말을 하는 거 있지? 너 누

구니 그랬더니 '유빈인데요' 그래. 어찌나 예쁜지. (웃고)

준하   (웃는 샤넬 얼굴에 조금 안도하고)

S# 33   택시 안 – 회상 (D)

준하와 샤넬, 같이 탄 택시 안.
샤넬은 여전히 웃으며 얘기 중이고.

샤넬   그래서 난 진짜 내가 천재를 낳은 줄 알았다니까. 동네 같은 개월 수 애들
           다 이제 배밀이 하는데 얘만 일어나서 뒤뚱뒤뚱 걷는 거야. 세상에.

준하   …

샤넬   근데 그러다가 내가 잠깐 못 본 사이에 넘어지면서 여기 눈썹 끄트머리를
           찢었어. 아직도 그 상처가 있어. 그거 볼 때마다 내가 미안해서….

준하   눈썹이면 티도 안 날 텐데요 뭐….

샤넬   그래도… 엄마 맘이 그렇나 어디.

준하   … 아드님 보고 오시니까 좋으신가 봐요.

샤넬   … 좋지. 좋아. 내 자식인데…. (창밖에 시선)

잠시 대화가 끊긴 택시 안.

샤넬   이 팀장 내일 출국이랬지?

준하   아. 네.

샤넬   아쉬워서 어째… 내일은 내가 공항까지 바래다줄게. 맨날 이 팀장이 나
           데려다주고 했으니까….

준하   아니에요. 힘드신데…

샤넬   아냐. 내가 그러고 싶어. (그리곤 창밖에 시선 주는)

S# 34   경찰서 안 (N)

준하, 그제야 후회가 된다… 왜 의심을 안 했을까…

준하   무슨 일이 있었던 거예요 그럼?

형사   (난감한 표정) 뭐… 제가 말씀드리긴 그렇고…. 참… 저도 어머님이 계시지
         만… 어머님들 마음이 다 그렇죠… 에효….

준하, 웃어 보이던 샤넬 얼굴에 더 마음이 아프고.

S# 35   혜자 방 (N)

혜자, 여전히 방에 멍하니 앉아 있는데 엄마가 죽 갖고 들어오고.

엄마   안 들어가겠지만 그래도 한술이라도 떠….

혜자   …

엄마   (죽 식히려 수저로 이리저리 저으며) 니 잘못 아니야.

혜자   원래… 죽음이 이런 건가?

엄마   … 뭐?

혜자   죽는다는 거… 너무 허무해….

엄마   (혜자를 보는데)

혜자   며칠 전까지만 해도 나랑 얘기하고 체온이 느껴지던 사람이… 아예 없던
         사람처럼… 진짜 꿈을 꾼 것처럼….

엄마   … 이거 먹어. 식었어. (수저 들어서 혜자 입 앞에 대는데)

혜자   … 나도 죽으면…

순간 엄마, 수저 두고 혜자를 꼭 껴안고.

엄마   (혜자를 꼭 안은 채) 아냐. 그런 얘기 하는 거 아니야.

혜자   (엄마에게 안긴 채 여전히 멍한…)

S# 36   경찰서 안 (N)

조사가 얼추 끝난 분위기.

형사   힘드셨죠? 너무 오래 잡아둬서… 협조 감사해요. 이제 돌아가셔도 됩니다.

준하   …

형사   여행 못 가셔서 어떡해요.

준하   … 아닙니다. (꾸벅 인사하고 걸어 나가려는데)

그때 다른 형사2, 준하와 얘기하던 형사에게 달려와서 뭔가 얘기하고.

형사   (표정 심각해지더니) 저기 이준하 씨. 잠깐만요.

준하   (돌아보고)

S# 37   동네 전경 (N → D) / 미용실 (D)

미용실에 틀어져 있는 뉴스에 다시 새로운 소식이 나온다.

앵커   자살이 유력시됐던 용천 강 70대 노인 변사사건에 새로운 용의자가 등장
            하며 타살 가능성에 힘이 실리고 있습니다. 경찰은 고인이 한 달 전, 보험

을 들고, 사망하기 며칠 전 그 수령인을 홍보관 직원 20대 이모 씨로 바꾼 사실을 포착하면서 사망보험금을 노린 타살에도 혐의를 두고 홍보관 직원 이모 씨를 구속 수사 중이라고 밝혔습니다.

엄마　(머리하던 손 멈추고 뉴스를 보는데)

아줌마　저 남자 우리 동네 사람이라던데… 저기 파란 대문 옆집 살던 총각… 어제도 계속 형사들 와서 물어보고 가더라구요.

엄마, 놀란 표정으로 얼른 TV 꺼버리고.

아줌마　왜 꺼요. 보고 있었는데….

S# 38　동네 골목길 (D)

동네에 아줌마들 모여서 사건 얘기하는 모습.

아줌마　그래. 나도 몇 번 봤어. 봉고차 몰고 다니면서 노인들 태우는 거….
아줌마2　세상에. 우리 시어머니도 거기 다니셨었는데….
아줌마3　물어봐. 혹시 거기서 사망보험 드셨냐고. 수령인 확인해보라고.
아줌마　(몸서리) 아으 무서워. 이 좁아터진 동네에 뭔 일이래….

S# 39　동네 공원 (D)

홍보관이 문 닫자 애매해진 노인들, 공원에서 모여 시간 때우는데
단순할머니, 천천히 걸어 다니고 있고,
할머니 1, 2, 3도 같이 나와 있고.

다른 할머니들과 섞여 있는.

할아버지　　어쩐지… 그렇게 지극정성으로 잘하더니… 다 이유가 있었구만.

할머니　　그러니까… 나한테 잘했으면 나도 저렇게 될 뻔한 거 아녀. 인두겁을 쓰고 어쩜….

단순　　(듣고 있다가 버럭) 이 !#@@년놈들아!!

단순할머니의 욕에 다들 놀라서 쳐다보는데

단순　　홍보관 다니면서 이 팀장 도움 안 받은 사람 손 들어봐!

욕하던 할아버지 할머니들도 괜히 외면하고 조용히 있고.

단순　　용주골할매 맨날 텔레비전 안 나온다, 세탁기 안 돌아간다 그러면서 이 팀장 불러서 고쳐댔지?

할머니　　(민망한 듯 조용)

단순　　거기 이 씨도 말 좀 해봐. 맨날 동네 나온 고물들 리어카에 한 짐 실어갈 때 누가 매번 밀어줬능가….

할아버지　　(민망해서 헛기침만) 크음….

단순　　사람이 원한은 잊어도 은혜는 잊지 말라 그랬는데… 세상에….

S# 40　　혜자 방 (D)

혜자, 멍하니 앉아 있고
그 앞에 앉아 있는 현주와 상은

상은	괜찮나?
현주	얼굴 봐라… 괜찮나 이게….
상은	(옆에 놓인 안 먹은 죽그릇 보고) 야 아예 입도 안 댔네. 니 우짤라고 그라는데?
혜자	(멍하니 앉아 입술에 침만 묻히고)
현주	물 줘?
혜자	(고개만 절레절레)
상은	아 진짜 준하 그 머스마 때문에 우리 혜자 굶어 죽겠네 진짜….
혜자	(??) 준하? 준하가 왜?
상은	니 지금 그 머스마 구속된 것 땜에 이카는 거 아이가?
혜자	(???!!!)

S# 41   영수 방 (D)

영수 방으로 허위허위 들어오는 혜자와 놀란 듯 따라 들어오는 상은과 현주.

상은	(놀란) 뭔데… 니 몰랐나?
현주	(상은 눈치 주고) 혜자야. 일단 몸 좀 추스르고….

혜자, 상은과 현주 말 귓등으로도 안 듣고 인터넷 기사를 보고.

> [70대 노인 사망사건, 보험금이 목적?]
>
> [홍보관 직원이 꾸민 치밀한 보험범죄]

등등의 자극적인 제목들이 보이고.

상은	혜자야… (말려보려는데)

혜자   (일일이 다 클릭해서 기사를 보는)

'외국으로 도피 후 외국에서 보험금을 수령하려 했다' 등등…
밑에 달린 악플들도 장난 아니고.

S# 42   미용실 밖 (D)

혜자, 허위허위 뛰쳐나오는데 뒤이어 따라 나오는 현주와 상은.

현주/상은   혜자야!!/ 야아!!

그런 혜자와 친구들의 모습을 불안하게 보는 엄마.

S# 43   동네 경찰서 (D)

경찰들 역시나 난감한 듯 혜자를 보고 서 있고.
곧 쓰러질 듯한 혜자를 부축하고 서 있는 현주와 상은.

혜자   진짜 준하는 그럴 사람이 아니에요. 내가 알아요.
경찰   우리한테 말해봤자 아무 소용도 없어요 할머니… 저기 위에서 수사하는
         걸 여기 와서 이러셔봤자….
혜자   저 위가 어딘데요? 그럼 거기 가서 얘기할게요.
경찰   힘들어 보이시는데… 장 순경 할머니 좀 차로 좀 데려다…?!!

경찰이 도움 안 줄 것 같자 이미 경찰서 나가버린 혜자.

S# 44   경찰서 밖 (D)

허위허위 나오다 휘청하는 혜자를 부축하는 현주와 상은.

현주   너 이러다 쓰러져.

상은   그래. 뭘 할라 그래도 힘이 있어야 하지 않긋나? 어?

혜자   (어지러운 듯 가만히 있는)

S# 45   혜자 집 거실 (D)

현주와 상은의 부축을 받고 집으로 온 혜자.
안 씹히는 밥을 물에 말아서 우적우적 밀어 넣는다.

현주   야 체해. 천천히 먹어.

그때 출근 준비하고 나오던 아빠, 그냥 지나치려다 멈춰서 혜자를 보고.

아빠   … 꼭 니가 나서야겠냐… 니말대로 아무 죄가 없으면 무사히 나올 거야.

혜자   … 없어 아무도. 준하는 아무도 없어. 나밖에.

엄마   니가 간다고 무슨….

혜자   (O.L) 내가 지켜줘야 된다고!! (다시 밥만 우적우적)

혜자 서슬에 다들 아무 말도 못하는.
아빠, 그런 혜자를 보다가 속상한 듯 나가버리고.

S# 46　　경찰서 안 취조실 (D)

준하, 참고인 조사 때와는 사뭇 다른 분위기.
이젠 용의자가 되어서 조사를 받고 있고.

형사　　··· 홍보관에 다른 할머니들도 많은데··· 굳이 고인이랑 친하게 지낸 이유
　　　　　가 있어요?

준하　　··· 말씀드렸듯이···

형사　　좀 알아보니까 고인이 돈 있는 할머니로 유명했다던데···.

준하　　···

형사　　공항에서 비행기 결항되고··· 어디 갔었어요?

준하　　바다에 갔었습니다.

형사　　어느 바다.

준하　　그냥 발 닿는 대로···.

형사　　그러고?

준하　　거기 계속 있었어요.

형사　　그럼 그 근처 숙박업소에 기록이 있겠네요?

준하　　··· 아뇨. 해변가에 앉아 있었습니다.

형사　　밤새?

준하　　네.

형사　　(의심스러운 듯) ···누가 본 사람 있어요? 그쪽 알리바이 증명해줄 만한···.

준하　　···

형사　　··· 보험금 수령인이 본인인 건 알았어요?

준하　　··· 몰랐습니다.

S# 47   홍보관 앞 (D)

문 닫은 홍보관을 두드리는 소리에 나와 보는 희원.
보면 혜자와 현주, 상은, 같이 왔고.

희원   (또 저 할머니) 할머니! 저희 문 닫았습니다. (문 닫으려는데)

혜자   (문 사이에 발 넣고) 뉴스 봤고 얘기 다 들었을 테니… 나랑 같이 경찰서에
            가요.

희원   왜요?

혜자   왜긴. 사람이 억울하게 잡혔는데 가서 아니라고 얘길 해야지. 그쪽한텐 동
            생이잖아요!

희원   아 준하… 걔 뭐 딱히 친동생도 아니고… 그리고 우리도 그 자식 때문에
            타격 커요. 경찰들이 조사네 뭐네 하면서 들락거려서 장사도 못하고….

현주   지금 사람이 억울하게 구속되냐 마냔데 지금 장사 얘길 해요?!!

희원   진짜 준하 걔가 그랬으면요? 돈 마다하는 사람이 어딨어요. 돈 욕심에 눈
            돌아서 잠깐 나쁜 생각…!!

혜자, 희원 뺨 철썩 때리고. 상은과 현주도 놀라고…

혜자   그걸 말이라고!! 나쁜 자식…. (서서 부들부들 떨고)

그런 혜자를 데리고 얼른 자리를 피하는 상은과 현주.

S# 48   동네 일각 (N)

혜자를 부축하고 걸어가는 상은과 현주.

혜자	준하 있는 경찰서가 어디래? 뉴스에도 나온 사건이니까 중앙서 그런 덴 가? 뉴스에 관할서도 나오나? 택시 잡어.
상은	혜자야. 니 이러다 진짜 큰일 난다.
현주	그래. 그리고 니가 간다고 당장 달라질 것도 없어.
혜자	(갑자기 돌변) 니들도 똑같애!!
현주/상은	(놀란) 야…./ 혜자야….
혜자	안 도와줄려면 말어!! 내가 구할 거야. 내가!
상은	(놀란 듯 울고)
현주	(울먹이며) 정신 좀 차려… 제발….

현주, 혜자를 안고 울고. 상은도 같이 울고.

S# 49   경찰서 외경 (N → D) / 경찰서 안 취조실 (D)

앞에 다 식어버린 설렁탕 두고 멍하니 앉은 준하.

형사	안 먹을 거죠? 치웁니다. (설렁탕 쟁반 들고 나가려다가) 근데 이준하 씨… 왜 적극적으로 자기변호를 안 해요?
준하	…
형사	지금 정황들이 본인한테 불리한 건 다 알 텐데… 사실만 딱 얘기하고 뭔가 불리한 얘기들에 대해서도 아니다 라고 부정도 안 하고….
준하	……
형사	이건 뭐 묵비권도 아니고…. 죄책감 그런 거예요?
준하	…
형사	(답답) 참 내… 스무고개도 아니고…. (쟁반 들고 나가고)

까칠한 얼굴의 준하.

S# 50　　혜자 방 (D)

혜자, 끙끙 소리 내며 일어나서 나갈 채비를 하고.
얼굴이 파리하고 벌써부터 진땀을 흘리는 혜자.

엄마　　(방문에서 지켜보며) 그냥 누워 있어.
혜자　　… 갈래. 가서 볼래.
엄마　　내가 가서 보고 올게. 그리고 알려주면 되지?
혜자　　아냐. 내가 가야 돼.

결국 엄마, 혜자가 옷 입는 거 도와주고.
머플러를 바람 안 들어오게 매주고.
그때 퇴근한 듯 들어오는 아빠.

아빠　　(혜자 보고) 같이 가자 그럼….
혜자　　(그런 아빠 보는)

S# 51　　경찰서 앞 (D)

경찰서로 같이 온 혜자, 아빠, 엄마.

혜자　　담당 형사님만 뵙고 갈게요.
형사2　　(난처한) 지금 수사 중이셔서….

혜자	그럼 준하만… 준하만 괜찮은지 보고 가게 해주세요. 네?
형사2	(웃으며) 괜찮으니까 돌아가세요.
혜자	괜찮은데… 왜 안 보여줘요?
형사2	네?
혜자	괜찮은데 왜 안 보여주냐구요. 혹시 못 보여주는 이유가 있는 거 아니에요?
아빠	…혜자야.
혜자	혹시 때렸어요?
형사2	(짜증) 할머니… 무슨 말씀을 그렇게 하세요.
혜자	근데 왜 못 보여줘? 아무 죄도 없는 사람 가둬놓고 밤새 괴롭히고 자기들 원하는 대로 대답 안 하면 때리고!!!
형사2	(짜증) 요새 누가 그렇게 수사를 해요! 진짜 큰일 날 소리 하시네.

그때 소란에 나와 보는 담당형사.

형사	무슨 일인지 모르겠지만 지금 조사 중인 사건이라 답변 못 해드립니다. 돌아가세요.
혜자	(갑자기 형사에게 다가가서) 제가 다 설명할 수 있어요. 시작이 어떻게 된 거냐면…
형사	(O.L) 어떤 거요. 보험금 수혜자 부분이나 이준하 씨 알리바이 같은 거 얘기해주실 거 있어요?
혜자	그건….
형사	다들 돌아가세요. (돌아서 가려는데)

(E) 오토바이 소리
현주, 오토바이 와서 서고 그 뒤에서 천천히 내리는 단순 할머니.
영수와 상은도 노벤저스들 부축하고 왔고.
직접 한자 섞어가며 쓴 판넬도 있고. '李준하를 즉각 釋放하라'

그 판넬을 장님 할아버지가 거꾸로 들고 서 있고.

노벤저스들과 혜자 친구, 혜자 가족들이 같이 경찰서 앞에 서서 침묵시위.

경찰들, 난감해하는 표정.

S# 52 　　경찰서 안 (N)

밖의 일은 모른 채 앉아 있는 준하.

형사	(난감한 얼굴로) 진짜 노인네들… (하다 준하에게) 노인 분들한테 잘하긴 했나 봐요?
준하	…

그때 형사에게 전화 걸려 오고.

형사	(전화 받고) 어. 편지? 무슨 편지? 그 할머니가 보낸 거 맞어? 우체국 CCTV 확인했어? … 죽기 전에? (하다) 일단 찍어서 보내봐.

형사, 편지 내용을 찍은 걸 받아서 보다가

형사	그 할머니가 이준하 씨 집으로 편지를 보냈나 보네요. 일반우편에 주말이 껴서 이제야 도착했나 본데….
준하	…
형사	뭐 이거 있다고 바로 혐의가 없어지는 건 아니지만… 읽어볼래요?

준하, 형사가 건네준 폰을 받고.

Cut to

준하, 샤넬의 편지를 직접 들고 읽고 있다.

샤넬   (E) 따뜻한 사람, 이준하에게. 미안합니다. 많이 놀랐을 거라 생각해요. 미
            안해요.

S# 53   커피숍 - 회상 (D)

샤넬, 앞에 놓인 커피잔을 잡는 손이 달달 떨리고.

차마 못 마시고 내려놓는데 그때 샤넬 앞에 와 앉는 남자.

남자, 꾸벅 인사를 하고.

샤넬   어… 용석이구나. 길에서 봤음 못 알아봤겠다. (애써 미소)

용석   (면목 없는 듯) 연락 못 드려 죄송해요. 잘… 지내셨어요?

샤넬   응. (하다가) …저기 너 아직 수홍이랑 연락하니?

남자   네? 아… 네.

샤넬   그래? 번호가 바뀌었나? 내가 갖고 있는 번호로는 전화가 안 돼서… 혹시
            미국에서 뭔 일 있는 건 아니지?

남자   (당황하는데)

샤넬   내가 걱정이 돼서 미국에 좀 들어가 볼까 하고….

남자   저기… 어머니….

샤넬   (보는데)

남자   수홍이… 한국에 있어요.

샤넬   … 뭐?

S# 54   아파트 단지 앞 – 회상 (D)

준하와 같이 택시 타고 아들 집에 와서 내린 샤넬.

S# 55   아파트 안 – 회상 (D)

혼자서 엘리베이터를 기다리는데 달싹달싹 떨리는 손.
그리고 적어진 호수 앞에 서서도 계속 초인종을 못 누르고.
한참 주저하다 초인종을 누르는데 문을 여는 4살짜리.

샤넬   ⋯ 누구니?
유빈   (해맑게 샤넬 보며) 유빈인데요⋯.
샤넬   어머⋯ 니가 유빈이니? 많이 컸구나⋯.

그때 집안에서 들리는 소리

아들   (OFF) 유빈아 누구야?

그리고 나와 보는 아들, 샤넬과 마주하고.

아들   (당황하는) ⋯ 엄마⋯ 어떻게 오셨어요?'
샤넬   아⋯ 저기⋯.
아들   유빈아 들어가. 아빠 잠깐 얘기 좀 하고 올게. (유빈 밀어 넣는데)
샤넬   (손주 보고 싶은 마음에 눈으로 좇는)
아들   (문 닫아버리고) 나가서 얘기하시죠.

S# 56   아파트 놀이터 - 회상 (D)

놀이터에 거리를 두고 앉은 샤넬과 아들.
샤넬은 아들 얼굴을 보려는데 아들은 계속 다른 곳만 본다.

아들   … 주소는 어떻게 아셨어요?

샤넬   어… 저기 니 친구 용석이….

아들   하아….

샤넬   …

아들   죄송해요. 연락 못해서.

샤넬   다 이해한다… 그냥 열심히만 살면 돼. 그거면 돼 나는….

아들   좀 일이 있었어요.

샤넬   그래. 그렇겠지. 오죽 힘들었겠어.

둘이 어색하게 이어지는 대화.

샤넬   어디 아픈 덴 없고?

아들   네. 뭐… 엄마는요?

샤넬   나도 뭐. 애들 엄마는?

아들   잘 지내요.

샤넬   (웃으며) 세상에 유빈이 그 갓난쟁이가 어쩜 저렇게 컸대. 말도 잘하고. 이제 4살이지?

아들   … 네.

샤넬   큰 애 지율이는 엄마를 너무 쏙 빼서 좀 서운했는데 막내는….

아들   … 들어가 봐야겠어요. 막내 목욕시켜야 해서….

샤넬   아… 그래. 저기 나 애기들만 좀 보구 가면 안 될까? 지율이도 보고 싶고… 유빈이도….

아들	… 애들이 감기 기운이 있어서요.
샤넬	아… 감기 기운이 있음… 나오면 안 되지. 그래. 들어가 봐.
아들	네… 건강하세요.
샤넬	……

아들, 먼저 들어가 버리고 샤넬, 그대로 자리에 앉아 있는.

한참을 혼자 멍하니…

그리곤 자리에서 일어나서 준하가 기다리는 쪽으로 천천히 걸어가고.

S# 57 아파트 단지 입구 - 회상 (D)

점점 한 발자국씩 걸어갈수록 표정 관리하는. 슬프게 짓는 미소.

샤넬	(애써 웃어 보이며 준하에게) 미안해서 연락 못했대.

S# 58 장례식장 (D)

그 웃는 얼굴이 그대로 영정사진으로 바뀌며 장례식장.

샤넬	(E) 다음에 우리가 또다시 만난다면…. 그때는 내가 꼭 이준하 씨 엄마로 태어날게요. 그동안 고마웠어요.

준하, 표정 없이 검은 양복을 입고 넥타이를 매며 들어온다.

그리곤 제일 처음 차려진 빈소에 절을 올리고. 장갑을 끼고.

장례지도사가 준하에게 상주 완장을 들고 물어본다.

장례지도사	손자분이신가요?
준하	… 아닙니다.
장례지도사	그럼…?
준하	… 그냥 아는 사람입니다.

장례지도사, 잠깐 고민하다가 검은 줄이 없는 완장을 건네고.

// 잠시 후

수많은 꽃들 사이에 웃고 있는 샤넬의 영정사진.

준하, 멍하니 보고 있는데 그때 빈소로 들어오는 노벤저스들.

불편한 몸인데도 느리게 절을 하고. 준하와도 맞절을 하고.

동네 할머니 1, 2, 3에 할아버지들도 오고.

조금씩 북적대는 빈소.

할머니2	(서 있는 준하를 보며) 그 양반이 자식 복은 없는데 준하 복은 있네. 쐬주 좀 따라봐라.
할머니1	취하시믄 우짤라구유….
할머니2	오늘 같은 날 안 취하믄 운제 취하노.
할머니3	(눈물 찍어내며) 잘 가요. 잘 가… 에으….

S# 59 미용실 전경 / 혜자 방 (N)

파리한 얼굴의 혜자, 겨우 앉아 있는데

그런 혜자에게 검은 옷을 입혀주는 엄마.

엄마	내가 갔다 온다니까….

혜자   내 친구였는데…. 내가 보내주고 와야지.

S# 60   장례식장 (N)

혜자와 친구들, 같이 빈소로 들어서고.
조문객들 맞는 준하의 까칠한 얼굴에 마음이 아픈 혜자.
혜자, 문상하고 준하와 맞절하고.

혜자   밥은?
준하   … 괜찮아요.

혜자, 환하게 웃고 있는 샤넬 할머니 영정을 본다.
그 밑에 쓰여 있는 이름 최.화.영

혜자   … 여기서 이름을 처음 보네요. … 최… 화… 영….

// 시간 경과
혜자와 일행들, 자리에 앉아 있는데 늦은 시간이라 텅 빈 빈소.
마지막으로 있던 테이블의 사람들도 자리를 뜨는데
상은, 피곤한 듯 고개 돌려 몰래 하품을 하는데 그걸 본 혜자.

혜자   피곤하지?
상은   아이다. 괜찮다.
혜자   가자. 우리도….

혜자 일행들도 자리를 뜨려 일어나는데

혜자, 혼자 빈소에 멍하니 앉아 있는 준하가 맘에 걸리고.

혜자　　먼저들 나가 있어… 좀 있다 나갈게.

혜자, 그리곤 빈소에 혼자 서 있는 준하에게 다가간다.

혜자　　(영정 보며) 허무하지? 사는 게 별거 아닌가 봐. 칠십 해가 넘게 살았는데 이거야.
준하　　…
혜자　　칠십 해를 넘게 살면서 온갖 일이 다 있었을 텐데…. 결국 사진으로만 남았어.
준하　　…
혜자　　난 말야… 내가 애틋해…. 남들은… 다 늙은 몸뚱이 더 기대할 것도 후회도 의미 없는 인생이 뭐가 안쓰럽다 하겠냐마는… 그래도 난 내가 안쓰러워 미치겠어.
준하　　…
혜자　　너도 니가… 니 인생이 애틋했으면… 좋겠다.

그리곤 샤넬 영정에 다시 목례를 하고 자리를 뜨는 혜자.
잠시 후 혼자 서 있던 준하, 어깨가 들썩이고… 울먹이기 시작한다…
텅 빈 빈소에서 오열하며 우는 준하.

S# 61　　장례식장 (D)

푸석한 얼굴의 준하, 서 있는데 장례지도사, 발인 준비하자고.
그때 누군가 다가오는데 보면 상복 입고 완장 찬 샤넬의 아들.

그 뒤로 상복 입은 며느리와 어린 손주들도 보이고.

준하, 자연스레 영정을 샤넬의 아들에게 건네고.

샤넬의 사진을 든 아들과 운구하는 준하.

그 모습을 서서 지켜보는 혜자와 노벤저스들.

S# 62   납골당 (D)

납골당에 모셔지는 샤넬.

그리고 걸어 나오는 준하와 샤넬의 아들.

준하, 샤넬의 영정에 묻은 먼지를 장갑으로 닦아내는데

아들　　(준하 어깨 툭툭) 수고했어요. (가려는데)

준하　　수고했다구요…?

아들　　(??)

준하　　수고했다니요…. 당신 어머니가 돌아가신 겁니다. 지금.

아들　　(황당하다는 듯 보며) 저기요. 나는 고마워서…

준하　　(O.L) 뭐가 고마운데요. 내가 그쪽 대신 3일 동안 상주 노릇 한 거 그게 고마운가요? 아니면 그쪽이 미국 가서 연락 없는 내내 허름한 모텔에서 혼자 지내는 분 가끔 들여다봐 준 게 고마워요? 아니면!! (분노에 몸이 떨린다) 매번 죽는 약 한 움큼씩 품고 다니던 분 몇 년이나마 늦게 죽게 해준 게 고맙습니까?!!!

아들　　(할 말이 없다)

준하　　수고했다는 말… 당신이 할 말 아닙니다.

울컥한 준하가 아들에게 퍼붓고 영정을 아들에게 안겨주고 돌아서고.

아들, 좀 어이없다는 듯 서 있는데

유빈	(샤넬의 영정을 보다가) 이거… 이 할머니가 줬는데….
며느리	뭘?
유빈	(손에 든 로봇 장난감 보여주며) 이거… (영정 가리키며) 이 할머니가 줬어.
아들	… 언제?
유빈	그때 나 어린이집에서 산책 나왔을 때….

S# 63　　공원 - 회상 (D)

유빈, 어린이집 선생님들과 산책 나왔는데
그때 손에 장난감이랑 과자 들고 다가오는 샤넬.

샤넬	유빈아.
유빈	(알아보는) 어? 어제 할머니…

샤넬, 장난감 주고 머리 쓰다듬어주고.
유빈이는 장난감에 정신 팔려있는데 조금이라도 유빈이를 눈에 많이 담으려는 샤넬.

샤넬	유빈이가 아빠를 많이 닮았네…. 아빠 어릴 때랑 똑같애. (눈물이 차오르고)

저쪽에서 선생님이 좀 의아해하며 다가오자 샤넬, 얼른 가버리는…

선생님	유빈아 누구셔?
유빈	어제 할머니.

S# 64   장례식장 (D)

아들, 눈가가 벌게진다.

아들   유빈아. 어제 할머니가 아니고⋯ 친할머니야.
유빈   ⋯ 칭⋯ 할머니⋯.

유빈, 웃고 있는 샤넬의 영정을 보는.

S# 65   동네 전경 / 준하 집 (N)

준하, 텅 빈 집 안에 혼자 앉아 있고.
그때 문 두드리는 소리.

혜자   여깄을 줄 알았지. 우동 사. 배고파.

S# 66   포장마차 (N)

포장마차에서 나란히 앉은 둘. 우동 먹고.

혜자   어딜 가려고 했던 거였어?
준하   ⋯ 러시아요.
혜자   러시아? 왜?
준하   ⋯ 횡단 열차를 타고 오로라를 보러 가려고 했었어요.
혜자   !!! ⋯ 혹시 혜자가 그 얘길 했어? 오로라?

준하	… 네.

혜자 울컥울컥하는데 억지로 참는다.

혜자	… 혜자가 밉지 않아? 갑자기 떠나서는 돌아온 댔다가 안 돌아온 댔다가… 무슨 사람 놀리는 것도 아니고….
준하	… 그리워하는 건 혼자서도 할 수 있으니 괜찮아요. 그리고 받은 게 많아요 혜자한테…. 그리고 할머니한테도.
혜자	……
준하	… 내 인생을 끌어안고 울어 준 사람이 처음이었어요.
혜자	!!

젊은 혜자의 모습으로 바뀌고 준하를 보고 있다.
준하, 의외로 덤덤하게 얘기를 한다.

준하	그동안 날 괴롭게 했던 건 나를 떠난 엄마나, 때리던 아빠가 아니라 나 스스로였어요. 평생 나라는 존재를 온전히 품지 못해서 괴로웠어요.
혜자	(울컥해서 보는)
준하	실수가 만든 잘못이고 축복 없이 태어난 생명인 걸 너무 잘 알아서 내가 너무 마음에 안 들었어요. 그냥. 근데 나도 못 끌어안은 나를… 끌어안고 울어준 사람이… 처음이었어요 그 사람이… 에라도 아름다울 수 있다고,
혜자	(울음 애써 꾹 참고) 가! 오로라 보러. 왜 안가!
준하	… 갈 수 있을까요?
혜자	가면 되지?!! (앉은 준하 등 치며) 왜 이러고 앉았어! 당장 가! 얼른!! (손바닥 치며) 무브무브!! 나 대신, 내 몫까지 보고 와야지!
준하	…
혜자	다녀와서 꼭 얘기해줘. 얼마나 울었는지. 꼭.

준하	(고개 끄덕이다 피식) 가면 할머니 생각도 많이 나겠네요.
혜자	(그 말에 울컥) 내 생각은 안 해도 되니까… 혜자를 생각해줘. 스물 다섯… 우리 혜자….
준하	(끄덕이며 따뜻한 미소로 혜자 보는)

혜자, 눈물이 그렁해서는 준하를 보며 웃는다.

S# 67   준하 집 (D)

준하, 짐을 챙기고 있는데 드르륵 열리는 문.
또 혜자인 줄 알고 준하, 반갑게 보다가 표정이 변한다.

(Cut to)

희원과 나란히 앉아 있는 준하.

희원	고생 좀 했나 보다? 얼굴이 안 좋네. 돈도 많은데 보약이라도 해 먹지 그랬냐. 형이 보기 속상하네?
준하	돈이라니?
희원	야. 우리 사이에 왜 이래? 샤넬 할머니.
준하	(보는데)
희원	햐 연기 잘한다 너. 별명이 샤넬 할머닌데 그 양반이 가진 게 뭐겠어. 그리고 그 양반이 제일 아끼던 게 누구야. 너잖아. 솔직히… 얼마 받았냐?
준하	받은 거 없어. 그리고 아들 미국 갈 때 집 다 팔아 돈 건네고, 모텔에서 살던 할머니야. 알잖아.
희원	(표정 변하며) 모르지 임마! 너 진짜… 형 동생 사이에 이러기냐?
준하	…

그때 준하 뒤쪽으로 스윽 나타나는 병수.

병수   차… 그런 놈이 샤넬 할머니를 꼬드겨서 보험금 수령인을 떡하니 자기 이름으로 해놨다? 이거 완전 생 양아치 새끼네….

준하   (쎄려보다가) 말 나온 김에… 할머니 할아버지 생명보험 그거… 하지 마! 형! 그건 아니야! 사람 목숨 갖고… (하는데 날아오는 구둣발)

희원   이 새끼 봐라? 이거? (빤히 보다가) 그래! 나 사람 목숨 갖고 장사할라 그런다. 왜? 뭐… 어디 경찰에 신고라도 하시게? 어뜩하냐? 비행기는 못 탈 거 같은데….

S# 68   중국집 앞 (D)

현주, 배달하고 왔는데 영수, 기다리고 있었던 듯.
현주, 들어가려는데 영수, 뭔가 내민다.
보면…장갑이다.

현주   뭐냐 이건?

영수   오다 주웠다.

현주   그럼 버려, 주운 건 너나 써, (들어가려는데)

영수   야! (하며 휙 현주 잡아 돌려 손잡더니 장갑 껴준다)

현주   !!

영수   (흡족) 딱 맞네. …영정 되긴 했지만 별사탕은 대박이더라고….

현주   (발그레해졌지만 일부러 퉁퉁) 촌스럽게 빨간색이 뭐냐?

영수   이따 영화나 볼까? 근데 얼굴이 왜 그래? 아파? (현주 이마에 손대려는데)

현주   (탁 쳐내며) 됐거든? 내가 너랑 왜 영활 보냐!

영수 밀치고 들어가는 현주의 얼굴이 발그레하다.

S# 69　　중국집 안 (D)

현주, 들어오는데 혜자 상은 기다리고 있었던 듯

혜자　　(자기 생각에 빠져있고)

현주　　(정리하며) 야 김혜자.

혜자　　후우….

현주　　… 슬프면 울어.

혜자　　아냐. 후련해. 내가 생각해도 나 좀 멋진 여성인 듯. 나 진짜 눈물도 안 흘
　　　　렸어. 눈물 참느라 완전 눈알 터질 뻔했다니까.

상은　　가스나… 우리한테까지 쎈 척할 거 없다 카이까는….

혜자　　진짜야.

현주　　그럼 우리도 홀가분하게 여행이나 갈까?

상은　　완전 좋다~ 어디로 가까.

혜자　　야야 노인공경 몰라? 내 의견을 제일 존중해줘. 무조건.

상은　　아 그럼 몬가잖아.

혜자　　야!! 누가 못 간대. 너 지금 노인비하 한 거야? 일루와!!

혜자, 장난스레 상은 헤드락 걸고 셋이 깔깔대는 모습.

S# 70   어딘가 (D)

그 시각 캄캄한 어딘가에 갇혀서
머리에 피 흘리고 쓰러져있는 준하 모습이 보이는 데서.

Episode 10

S# 1   혜자 방 (N)

혜자, 현주, 상은, 순으로 누워 있고.
얼굴에 캐릭터 팩 붙이고 나란히 누워 있다.
혜자, 말똥말똥 천장 보고 있는데.

상은   낼 새벽 출발이면…. 지금쯤 짐 싸고 있겠다.

현주   누구?

상은   오로라.

혜자   그렇겠지…. 선크림 챙겼나? 그런 데는 더 타는데. 애가 워낙 뽀얘서.

상은   거기는 컵라면도 비싸다더라. 컵라면 챙겨 가면 좋은데.

혜자   걔 입도 얼마나 짧은데? 고추장이랑 된장도 챙겨야 돼.

상은   거기 많이 춥나?

혜자   엄청 춥지.

상은   그럼 롱패딩도 넣어야 된다.

혜자   그치. 근데 거긴 일교차가 심해서 너무 겨울옷만 챙겨도 안 되는데.

상은   그럼 속에 가볍게 입을 옷들도 넣자.

혜자   롱패딩 때문에 다른 거 들어갈 공간이 없는데….

상은   고추장 된장은 뺄까?

혜자   아니야 고추장 된장은 이렇게 짜는 튜브제품 있거든 그걸로 바꾸자.

상은   즉석밥은 어떡하지?

혜자   그건 꼭 챙겨야지. (고민) 속옷을 빼자. 가서 사 입으면 되니까.

상은   여행 경비 빠듯한데 속옷까지 사 입나?

혜자   그럼 속옷을 넣고 수건을 몇 장 뺄까?

상은   (고민하다) 아! 가방을 좀 큰 걸로 바꾸자?

혜자   그럼 되겠네!! (하다) 근데 중량 오바되면 공항에서 돈 더 내지 않나?

혜/상   (고민하는데)

현주	왜 아예 가서 짐을 싸주지?
상은	그래 가자 혜자야!

상은, 혜자, 벌떡 일어나면,
현주, 자연스럽게 양쪽 팔 벌려 치면 둘 다시 벌렁 눕는.

현주	어딜 가? 구질구질하게? 안녕했다며? 그럼 끝인 거지.
혜자	… 그지…. 했지 안녕.
현주	또 보고 싶어서 그래?
혜자	아아니~ (하면서도 뭔가 아쉬운)

S# 2   홍보관 지하실 (N)

어두운 방. 준하, 피 흘리고 쓰러져 있다.
두꺼운 철문이 열리면 문밖에서 들어오는 빛이 준하를 비춘다.
그리고 뚜벅뚜벅 준하에게 다가가는 남자.
희원이다.

희원	(준하 얼굴 살펴보며) 쯧 얼굴이… (뒤에 봤다가) 새끼들… 살살 하라니까….
	이쁜 얼굴을 완전히 망쳐놨네….
준하	(올려다본다)
희원	준하야… 너 진짜 나 신고하려고 그랬냐?
준하	… 그만해. 형.
희원	묻잖아 새끼야! 나 신고하려고 했냐고?
준하	…
희원	어떻게 니가 나한테 그러냐? 너 힘들 때 내가 챙겼잖아. 할머니 돌아가셨

을 때도 내가 반 상주 노릇 했었고, 아버지 때문에 유치장에 있을 때도 내가 백방으로 뛰어다녔잖아. 근데 니가 어떻게 나한테 그래?

준하　선을 넘었어요. 이제 그만 해요.

희원　선? 무슨 선? 무슨 선을 넘었는데? 너 임마 그깟 물건 몇 개 팔아서 여기 운영이나 되는 줄 알아? 계속 적자야. 나 여기 운영하려고 사채까지 끌어다 썼어. 그건 어떻게 갚냐? 나도 비빌 언덕은 있어야 될 거 아냐? 가족들도 나 몰라라 하는 노인네들 놀아주고 돌봐주고 보험도 들어주고…. 그러다 돌아가시면 그나마 보험금으로 보답 조금 받자는 건데 내가 일부러 사람을 죽여서 보험금 받겠다는 거…. (하다가)

무슨 생각이 떠오르는지 표정 변하는 희원.
그런 표정을 보고 놀라는 준하.

S# 3　동네 외경 / 미용실 앞 (D)

혜자, 상은, 부스스한 표정으로 쪼그리고 앉아 하품을 하는데.

혜자　현주 앤 아침부터 왜 모이라고 한 거야?

상은　몰라. 졸려 죽겠다.

그때, 혜자 상은, 앞에 멈춰서는 자동차.
자동차 창문 쓱 내려지면, 현주, 차에 타고 있다.

상은　뭐야? 뭔데?

현주　이 언니가 큰맘 먹고 한 대 빌렸다. 여행 가자며? 가자니까? 그 자식은 오로라 보러 가는데 우리라고 가만있으라는 법 있냐? 우리도 고마 쎄리 여행이나 가자고!

상은   (차에 타며) 완전 좋다 어디로 갈까?

혜자   (차에 타며) 노인 공경하라고 했다! 내 의견을 존중해줘. 무조건.

현주   안 그래도 그럴 거거든. 어디 가고 싶은데?

혜자   나 바다에서 일출 보고 싶어.

현주   (신났다) 오케이~ 바다로 출발! (하려는데)

상은   나 오늘 녹음 있는데….

혜자   짐도 싸야 되고….

현주   (식었다) 그럼… 내일 출발하는 걸로….

S# 4   혜자 방 (D)

큰 캐리어 한 개 있고
그 앞으로 현주, 상은, 있는데
현주 앞엔 추리닝 한 벌
상은 앞엔 산처럼 쌓여있는 옷
혜자, 뭔가 부스럭거리며 챙기고 있다.
상은, 현주의 추리닝 봤다가 현주 쳐다보면

상은   넌 그거 하나야?

현주   뭐? 왜? 잘 땐 이거만큼 편한 게 없거든? (상은에게) 그러는 넌 어디 옷 팔러 가냐?

혜자 그제야 캐리어에 담을 짐 갖고 오는데
엄청난 양의 약들.

현주	넌 약 팔러 가니?
혜자	그나마 상비약만 챙긴 거야. 영양제까지 챙기면 가방 하나 더 있어야 돼.
상은	그것만 먹어도 배부르겠다.
혜자	이게 니들 미래거든. 젊을 때야 치장이 중요하지? 늙어봐라 모든 게 생존의 문제지.
상은	아….
혜자	우리 일출 보고 나서 뭐 할까?
현주	바다 가니까 회도 먹고, 카페 이쁜 데 많거든. 가서 사진도 찍고, 펜션에 스파 있으니까 그것도 하고.
상은	나 그거 그거 그거.
현주	뭐?
상은	불꽃놀이.
혜자	나두 나두.
현주	오케이!!

S# 5   거실 (D)

현주, 나와서 냉장고 열고, 보리차 꺼내 마시는데.
영수, 식탁에서 라면 먹고 있다.

영수	놀러 가냐?
현주	들었냐?
영수	여자 셋이서만 괜찮겠어?
현주	절대 안 되니까 괜히 따라갈 구실 만들지 마라. 우정 여행이거든.
영수	(걸렸지만 태연) 누가 따라간대. 너 미친 거 아니냐?
현주	나 봐! (얼굴 잡고) 내 눈 피하지 말고 봐.

영수	자 왜? (영수 눈에서 눈물이 또르륵)
현주	맞지? 실망해서 우는 거… 이래도 아니야?
영수	라면이 매워서 그래. 들어가서 방송이나 해야겠다.
현주	너 정지 먹었잖아!
영수	… (벌떡 일어나) 야!! 너 왜 친구 오빠한테 자꾸 너, 너 거려? 내가 그렇게 만만해?
혜자	야! 비켜! 왜 거기 서 있어.

혜자, 영수 밀고 들어와 물 마시는데.

현주	됐지?
영수	씨.

S# 6   혜자 방 (D)

짐 다 싼 듯, 캐리어를 흐뭇하게 바라보는 여섯.

현주	아. 돗자리 챙겼어?
혜자	아니.
현주	어딨는데?
혜자	오빠 방에 있을걸.

S# 7   영수 방 (D)

현주, "야 돗자리…" 하며 문 열면,

영수, 갑자기 엎드려서 뭔가 감추는데.

현주   뭐야?

영수   뭐가?

현주   비켜봐.

영수   왜?

현주, 발끝 세워서 영수 엉덩이를 발끝으로 찌른다.

영수, "아!!" 하며 일어나면.

영수, 짐 싸고 있었다.

현주   짐을 왜 싸? 우리 따라오려고 그런 거야?

영수   안 따라가! 나도 며칠 어디 좀 갔다 오려고 그런다 왜?

현주   어디?

영수   … 머리도 식힐 겸 절에 좀 가 있으려고.

현주   (영수 짐 뒤지는)

영수   야!!

현주, 가방에서 불판 꺼내 든다.

현주   절에 가는데 고기 불판은 왜 가져가?

영수   그 절이 바람이 많이 불거든. 책 보려고 하면 자꾸 넘어가서 안 넘어가게 책에 눌러놓으려고 그래.

현주   미친… 그래 내가 미쳐서 "그럼~ 절에 불판 정도야 가져갈 수도 있지."라고 넘어갔다 치자. (수영복 꺼내 보이며) 이건? 절에 수영복은 왜 가져가는데?

영수   그거… 거기 주지 스님이 구해달라고 해서.

현주   주지 스님한테 이런 수영복이 왜 필요한데?

영수	그러게 물욕이 생기셨나? 일단 가져다드리고 무소유 하시라고 해야겠다.
현주	웃기고 있네. 안 돼! 이거 다 압수야.
영수	내 드럽고 치사해서 안 따라간다!!

S# 8 미용실 (D)

혜자, 미용실 서랍을 뒤지고 있고.
그때 들어오는 엄마.

엄마	뭐 줘?
혜자	아니 그 찜질하는 거… 전자렌지에 데워 쓰는 거 여기서 본 것 같은데….
엄마	(소파 쿠션에 덮여있던 찜질기 건네며) 여기. 여행 간다고?
혜자	(받고) 응. 또 애들이랑 언제 놀러 갈까 싶기도 하고….
엄마	(혜자 보다가) …가족이랑은 언제 놀러 갈까 싶기도 하네?
혜자	(괜히 미안) 가야지. 당연히. 아빠 쉬는 날 가자. 왜 나 어렸을 때 바닷가 가서 돗자리 깔고 막 수박 먹고 놀았잖아. 그때 진짜 재밌었는데…. (하다 혼 잣말처럼) 빨리 가야겠다….
엄마	(그런 혜자 물끄러미 보는데)

그때 출근하려 미용실 쪽으로 나오는 아빠.

아빠	뭐해 둘 다. 여기서… 다녀올게.
혜자	아빠 우리도 놀러 가요. 가족끼리.
아빠	(가려다 돌아본다)
혜자	예전처럼. 행복했을 때처럼….
아빠	(멈칫 섰다가 돌아보고 희미하게 웃어 보이고는 다리 절며 나가고)

혜자   (아빠 다리를 안쓰럽게 보다가 괜히) 아 뭔 짐이 싸도 싸도 끝이 없네.

             (들어가고)

엄마   ······ (한숨 후우 내쉬는)

S# 9   혜자 집 외경 / 혜자 방 (N)

현주, 혜자, 둘이 헤어 롤러 말고 앉아 있는데.

똑똑 노크 소리 들린다.

문 열리면 영수다.

영수   언제 출발하냐?

현주   새벽에. 왜?

영수, 봉투 꺼내서 혜자에게 준다.

영수   잘 다녀오고.

혜자   뭐야?

영수   먹고 싶은 거 있음 사 먹어. 조금밖에 못 넣어 미안하다.

혜자   어디 아퍼?

영수   왜? 오빠가 동생한테 용돈 주면 안 되는 거야?

혜자   그건 아닌데···. 고마워 오빠.

영수   현주야 우리 혜자 좀 잘 챙겨줘.

현주   ··· 어.

영수, 여섯의 캐리어 챙겨 든다.

영수　아침 일찍 간다며? 무거울 텐데 내가 차에 실어 놓을게. 운전 조심하고.

현주　(얼떨결에 키 주면서) 어. 고마워.

영수, 캐리어 들고 나간다.

현주　뭐 잘못 먹었나? 왜 저래?

혜자　(곰곰) 엄마가 쥐약 났나?

S# 10　혜자 집 앞 (N)

영수, 현주의 렌터카 앞으로 온다.

영수, 차 트렁크 열고 캐리어를 트렁크에 넣는다.

영수, 그러더니 트렁크에 들어간다.

영수　(씩 웃는) 완벽했어. 완벽하게 속였어. 내가 그러면 못 따라갈 줄 알고. 이 건 꿈에도 모를 거다. 음하하.

혜자 현주, 나온다.

혜자　그냥 우리 집에서 자고 아침에 같이 출발하지?

현주　며칠 비울 건데 양파라도 좀 썰어놓고 가야 눈치 덜 보이지 싶다.

그때 저 아래서 상은, 기운 없이 걸어온다.

혜자　녹음은… 잘했어?

상은　어.

현주	근데 왜 죽을상이야?
상은	배고파 죽겠다. 녹음한다고 한 끼도 못 먹어서….
현주	가게 갈래? 내가 요리 해줄게.
상은	(감동) 현주야… 내가 앨범 스페셜 땡스에 꼭 너 넣어줄게.

그때 준하네 옆집 할머니, 짐 하나 들고 천천히 걸어오고.

혜자	(꾸벅) 지금 오세요? 늦으셨네요.
할머니	(웃으며) 친척 동생 칠순 잔치라… 이것저것 싸주네 또.
혜자	(짐 들어주며) 들어다 드릴게요.
할머니	괜찮은데….
상은	(나서며) 내가….
혜자	됐어. 먼저들 가 있어. 나 짐만 들어다 드리고 가든가 할게. (할머니랑 가고)

현주, 반대쪽으로 가다가 자신의 렌터카 보이자

현주	이 인간, 짐 실어준다더니 도대체 어디 간 거야? (하다) 아 맞다! 차 키!!

\# 자동차 트렁크.
영수, 현주 목소리에 바짝 긴장하는.

현주	이거 우리 엿 먹으라고 차 키 들고 튄 거 아니야?

영수, 차 키를 생각 못했다.
영수, 차 키 들고 어쩌지 하다가 트렁크 살짝 열고 차 키를 밖으로 던진다.
상은, 바닥에 떨어진 차 키를 본다.

상은	이거 차 키 아니가?
현주	아우 칠칠이 진짜 누가 데려갈지 걱정이다 걱정. (트렁크 보고) 뭐야?
영수	(헉! 걸렸구나 표정)

현주, 트렁크 쪽으로 천천히 다가오더니
트렁크를 쾅 닫는.

현주	암튼 뭐 하나 제대로 하는 게 없어. 가자.

현주 상은, 도란도란 얘기하며 가는데…
영수, 휴~ 가슴 쓸어내리다가

영수	(헉!) 갇혔… 네? (안에서 열어보려 시도하다가) 아씨…. 그래 뭐… 내일 출발한다는데… 여기서 먹구 자구하면 되지…. (편하게 누워버린다)

S# 11   준하 집 앞 (N)

혜자, 할머니 짐 들고 할머니랑 걸어오는데
준하 집에 불이 켜진 게 보인다.

혜자	(의아) 어? 왜 불이 켜 있지?
할머니	(보고) 며칠째 낮에도 켜 있던데…. 암튼 고마워.
혜자	(짐 건네고) 네. 들어가세요. (하지만 시선은 여전히 준하 집에)

혜자, 의아해하며 준하 집 가까이 가본다.

혜자   뭐지? 아직 안 갔나?

혜자, 안을 살펴보다가 대문을 열고 안으로 들어간다.
혜자, 똑똑똑 문을 두드린다.
대답이 없다.
혜자, 다시 노크를 한다. 대답이 없다.
혜자, 조심스럽게 준하 집 문을 연다.
아무 인기척이 없는 준하 집.

혜자   없나?

혜자, 집으로 들어가는데,
집 안에 구둣발 자국들이 어지럽게 나 있다.
혜자, 갸웃하며 준하 방문을 여는데.
방 한가운데 놓여 있는 배낭 하나.
혜자, 구둣발 자국도 그렇고, 어쩐지 마음 한 편에 불안함이 밀려 들어온다.

S# 12   홍보관 사무실 (N)

희원   노인네들 보험 서류는 단도리 잘하구 있지?
병수   보험을 아예 안 든 노인네들은 이제 대여섯 정도밖에 안 되는데… 문제는
            보험 해약하겠다고들 지금 난리예요.
희원   … 한 방에 가자.
병수   한 방?
희원   보험 든 노인네들한테 전화 돌려. 내일 홍보관 다시 오픈한다고.
병수   (?) …뭘 어떻게 하려고? 아 나 노인네들 상대하는 거 더는 못 해.

희원   전화나 돌리라고! 그리고 그 새끼. 일 다 끝날 때까진 암데도 못 도망가게
            잘 감시해.

S# 13   지하실 (N)

묶여있는 준하, 도망가려 풀어보려고 애쓰는데
절대 풀리지 않는.

S# 14   준하 집 (N)

혜자, 준하의 배낭 옆에 쪼그리고 앉아 있다.

혜자   (E) …어딜 간 거니? … 빨리 와라… 불안하게….

가만 기다리다가 스르륵 잠이 든다.

S#   동네 일각 (D) – 이른 아침

S# 15   준하 집 (D)

혜자, 졸다가 꾸벅하는 바람에 깬다.
빨리 옆을 보는데, 배낭은 그대로다.
혜자, 시계를 보는데. 이미 8시를 가리키고 있다.
혜자, 머릿속에 안 좋은 생각들이 가득하다.

S# 16   홍보관 앞 (D)

혜자, 홍보관 앞으로 온다.
홍보관으로 들어가는 혜자.

S# 17   홍보관 강당 (D)

혜자, 홍보관 강당으로 들어오는데.
할머니, 할아버지들, 잔뜩 신난 표정으로 웅성거리고 있다.
혜자, 할머니1에게 간다.

할머니1   아이구 왔네. 안 오는지 알고 기다렸구만.
혜자   한동안 홍보관 문 닫는다 그러지 않았어요?
할머니1   다시 할려나봐. 그동안 문 못 연 거 미안하다고 효도원에서 우리 다 야유
            회 보내준다 그러네.
혜자   야유회요?
할머니2   오늘 여기서 밤새 놀고 내일 아침에 출발한다카네.
혜자   저기… 혹시 이준하 팀장 봤어요?
할머니3   못 봤는데? 봤어?
할머니1   그 이 팀장은 어디 외국 간다 안 캤나?

혜자, 여기는 없다고 생각하고 가려는데
누군가 혜자 손을 잡는다.
혜자, 놀라서 보면 시계 할아버지다.

혜자   (힘으로 빼려는데 안 빠지는) 왜 이러세요. 놓으세요.

시계할	이이이~ (뭔가 얘기하려고 하는 듯 계속 낮게 소리 지른다)
혜자	(뭔가 이상한) … 혹시… 저한테 할 말 있으세요?
시계할	(힘겹게 고개 끄덕)
혜자	무슨 얘기예요?
시계할	(고개로 어딘가를 가리키는 듯) 이이이주우우~~
혜자	(반짝) 혹시… 이준하 팀장 얘기예요?
시계할	(고개 끄덕)
혜자	보셨어요? 보셨죠? … 어디? 어디서 봤어요? (하는데)
병수	여기 계셨네. 할아버지 한참 찾았잖아요. 식사하셔야죠.

병수, 혜자 한번 훑어보다가 할아버지 끌고 가는.

S# 18   몽타주 - 홍보관 일각 (D)

홍보관 곳곳을 찾아보는 혜자의 모습 컷컷 보이다가
지하로 내려가는 입구쯤에 멈춰서는 혜자.
혜자의 눈에 뭔가 들어온다.
그걸 주워보는데… 염주 알 하나다.

[FLASH BACK]
혜자, 준하할머니 손잡고 있을 때, 준하할머니가 차고 있던 염주
할머니 돌아가신 후 준하가 차고 다니던 염주의 모습.

혜자	(!!) 이거 준하 껀데….

불안한 표정의 혜자, 지하실 문 열어보지만 열리지 않는다.

S# 19   사무실 (D)

혜자, 사무실 문을 열어보는데 아무도 없다.

혜자, 책상들 위를 살피며 뭔가 뒤지는데

그때, 문이 확 열리고 희원이 들어온다.

혜자   (당황하는)

희원   어? 어르신도 오셨어요? 따로 전화 안 드린 것 같은데?

혜자   어… 나 필요한 약이 있어서.

희원   아 약이요…. 약이야 약방에서 사는 거지 왜 여기서…. (하며)

희원, 사무실 책상 위에 있던 보험 서류들 감춘다.

희원   (혜자 보며 확인하는 듯) 근데… 무슨 약이요?

혜자   응?

희원   약이 필요해서 뒤지셨대메요? 무슨 약을 찾으셨냐구요?

혜자   … 관절에 먹는 거….

희원   관절염 약이요. (책상 한쪽 가리키며) 거기 있잖아요. 거기 상자.

혜자   어디?… 나 눈이 잘 안 보여서….

희원   (빤히 보다가) 아 노안이시구나. (갖다주며) 여기요….

혜자   … 고마워….

S# 20   사무실 밖 (D)

혜자, 나오는데.

희원, 뒤에 따라 나온다.

희원	어르신.
혜자	(돌아보면)
희원	어르신도 야유회 가실래요?
혜자	아니야. 가족들이 싫어할 거야.
희원	그건 걱정 마세요. 저희가 전화해 드릴게요. 다른 분들도 다 저희가 전화해서 말씀드렸어요. 다들 좋아하세요.
혜자	아니… 난 좀 그래요….
희원	괜찮아요. 오랜만에 친구분들이랑 재밌게 놀면 좋죠.
혜자	다음에… 다음에 갈게요.

혜자, 가려는데 희원, 우악스럽게 혜자 팔을 잡는다.

희원	같이 가시자니까요. 어르신~
혜자	(뭔가 도망가야 할 것 같은데 도망은 못 가고)
우현	(OFF) 누님!!

혜자, 돌아보면, 우현, 서 있다.

우현	누님 여기 계셨네. (팔짱 낀 희원을 고깝게 쳐다본다)
혜자	밖에서 기다리라니까. 사실 오늘 저 양반이랑 영화 보기로 했거든.
희원	아 그러셨어요. (팔 놓으며 의아) 영화가 많이 보고 싶으셨나 봐요.
혜자	다른 사람한텐 비밀. (우현에게) 창피하니까 사람 없는 데서 보자니까.

혜자, 우현 쿡쿡 찌르며 밀듯이 나간다.

S# 21   홍보관 밖 (D)

혜자, 홍보관 밖으로 나오는데, 다리가 휘청한다.
우현, 그런 혜자 잡는.

우현   괜찮으세요? 누님?
혜자   괜찮아요.

그 모습 보고 있는 희원과 병수

병수   괜찮을까?
희원   뭐… 눈치는 못 챈 거 같아.
우현   저기 혹시 제가 깜빡한 건지 모르겠는데 우리 오늘 영화 보기로 했던가요?
혜자   아무 말도 하지 말고 그냥 걸어요.
우현   혹시 우리 오늘부터 1일? (방긋)
혜자   쫌.

우현, 입 닫고, 혜자와 걷는다.

S# 22   차 트렁크 (D)

영수, 트렁크에 누워 있다.

영수   왜 출발할 시간이 지났는데 안 가지? 하긴 이것들 잠 많아가지고 지들이
          무슨 일출이야…. (소변 마렵다) 아 화장실을 안 갔다 왔네. 아 오줌 마려워.
          뭐 없나?

영수, 비닐 뒤지는데, 비닐에서 1.5리터짜리 생수 나온다.

영수   들어 있네. (하다) 비우려면 채워야지 또 그게 세상의 이치거든.

영수, 생수를 마시기 시작하는데.
몸이 배배 꼬인다.

영수   가득 찬데다 욱여넣으려니까 힘드네.
            (다시 마시는 E) 다 왔어 조금만 조금만… 윽!!

S# 23   공터 (D)

렌터카 트렁크 밑으로
뜨끈뜨끈한 물이 줄줄줄 흘러내리고 있다.

S# 24   어딘가의 일각 (D)

우현, 놀란 표정이다.

우현   이준하 팀장이 납치를요?

혜자, 아직 그 공포감이 안 가셨는지 물 마시며 바들바들 떨고 있다.

우현   왜요?
혜자   아직 확실치는 않아요. (하다) 근데… 홍보관엔 왜 온 거예요? 야유회 때문에 온 거예요?

우현   야유회요? 야유회 간대요?

혜자   그쪽한테는 얘기 없었어?

우현   처음 듣는데.

혜자   … 그냥 야유회가 아닌 것 같아….

[FLASH BACK]

S# 19 사무실

혜자, 못 본 것 같지만 실은 보험 서류를 봤다.

보험 서류들… 수령인 란에 희원 이름이 있는.

혜자   (가만 보는) 혹시 홍보관에서 들라는 보험 들었어요?

우현   아니요. 제가 또 보험이 필요 없는 사람 아닙니까! 이빨도 제 꺼고, 운동도

              열심히 해서 (가슴 내밀며) 한번 만져보세요.

혜자   (무시) 나 좀 도와 줄 수 있어요?

우현   그럼요. 누님 일이라면 무조건 도와야죠.

혜자   일단 홍보관에서 보험 안 든 사람 좀 찾아서 데리고 와 줄래요?

S# 25   홍보관 지하실 (D)

묶여 있는 준하 앞에 희원, 서 있다.

병수, 들어온다.

희원   (병수에게) 차 손 좀 봐놨어?

병수   애들이 지금 작업 중이에요. 이따 갖다준대요.

준하   (불안한) 형! 내가 생각하는 그런 거 아니지… 형?

희원	이 새끼는… 지 편할 때만 형이지.
준하	그래 미안해. 형이 그동안 나나 우리 할머니한테 잘해준 거 다 고마워. 나 러시아 안 가고 앞으로도 형이 하는 거 다 도울게. 근데 이건 안 돼. 이건 아니야.
희원	(준하 걷어차며) 그래 이 새끼야 너 혼자 계속 좋은 새끼 해라. 근데 너 그거 아냐? 지금 있는 노인네들 다 너 때문에 죽는 거야 새끼야!!
준하	(놀라는데)

S# 26   중국집 룸 (N)

혜자, 우현, 몸빼, 단순, 쌍둥이, 장님, 뽀삐할아버지, 앉아 있다.

혜자	내일 효도원에서 야유회 간대요. 근데 여기 있는 사람들 중에 초대받은 사람들 없죠?
일동	(서로 보는)
혜자	왜 안 불렀을까요? 그건 우리가 효도원에서 들라는 보험에 안 들어서 그 래요.

S# 27   홍보관 사무실 (N)

희원, 보험증서 보고 있고,
병수, 희원 옆에 있다.

병수	다하면 한 15억쯤 되겠네.
희원	버스는 아직 안 왔냐?

S# 28   중국집 룸 + 홍보관 사무실 (N)

혜자   보험 든 사람만 부른다. 그 사람들이 야유회를 간다.

우현   그럼?

병수   근데 대관령까지 가야 돼?

희원   거기 길이 험하거든. 버스 타고 가다가 잠깐 한눈팔면 그냥 떨어지는 거야.

몸빼   그럼 대번 지들 의심할 텐데 설마 그러려고?

희원   의심을 왜 해. 우리도 그 버스에 탈건데.

병수   미쳤어? 같이 죽자고?

혜자   뭔가 방법을 찾았겠죠. 지들은 살고 다른 사람은….

희원   그러니까 작업한 거잖아. 돌대가리야! 우리 안전벨트만 제대로 해놓으라구.

단순   나쁜 놈들! 근데 경찰에 신고하는 게 더 빠르지 않나요?

혜자   경찰에 신고해도 소용없어요.

희원   아무 소용없지. 지금 이 사람들은 야유회 가는 사람들인데? 뭐? 사고가 나야 의심도 하는 거지. 지금 와서 뭐라고 할 거야?

혜자   이준하 팀장은 다 알고 있었을 거예요. 그래서 그거 신고하려다가 납치당한 걸 거고요.

우현   신고해도 소용없다면서요?

혜자   이준하 팀장은 내부자잖아요. 우리랑 다르죠.

우현   아~ 그럼 이 팀장은 어떻게 되나?

희원, 보험 서류 하나 꺼낸다.
보면, 보험 서류 가입자란에 이준하라고 적혀 있다.

희원   버스에 태워.

혜자   이준하 팀장이랑 야유회 가는 노인분들 구할 사람은 우리밖에 없어요.

희원   근데 영 께름직해. 애들 좀 불러. 야유회 가기 전까지 아무 일 없어야 돼.

혜자　　　분명 이중 삼중으로 경계할 거예요. 완벽한 작전만이 살길이에요.

혜자, 노벤저스 둘러보는데 한심한 느낌이 드는 건 사실이다.
몸뻬할머니는 중국집에 있는 나무젓가락 같은 류 계속 챙겨 넣고 있고.
단순할머니, "화장실 좀 갔다 올게요" 하며 계속 제자리를 걷는 것 같고.
선글라스 끼고 있는 장님할아버지에 졸고 있는 쌍둥이할아버지.
강아지만 끼고 있는 뽀뻬할아버지까지.

S# 29　　트렁크 안 (N)

영수, 생라면을 씹어 먹고 있다.
목이 타는지 흘깃흘깃 옆을 보는데
옆에는 오줌이 가득 들어있는 1.5리터 페트병 보인다.

영수　　　(E) 차라리 배고픈 게 낫지… 갈증은 못 참겠다.

영수, 페트병으로 계속 눈이 간다.

영수　　　(고개 저으며) 차라리 죽고 말지…. (하다가) 이것들은 언제 갈라고… 또 늑
　　　　　장이네… 하여튼

S# 30　　중국집 홀 (N)

혜자, 밖으로 나오면,
걱정스럽게 현주, 상은, 보고 있다.

현주	우리가 뭐 도와줄 건 없어?
혜자	응. 괜히 노인들만 있는데 젊은 사람들이 움직이면 눈에 더 잘 띌 거야.
현주	그건 그런데… 저 사람들로 뭘 어떻게 하려고 그래?
혜자	어떻게든 해봐야지. (상은 보며) 상은아 우리 이거 해결하면 그때 놀러 가자. 괜찮지?
상은	괜찮다.
혜자	(걱정스럽지만 미소 지어 보이는)

S# 31 중국집 룸 (N)

혜자, 몸빼, 단순, 우현, 쌍둥이, 장님, 뽀삐할아버지 앉아 있는.

혜자	지금이라도 빠지실 분은 말씀해주세요.
일동	(침묵)
혜자	사람마다 다 사정이란 게 있는 거예요. 빠져도 욕할 사람 없으니까 괜찮아요.

다들, 아무 말도 안 하고 앉아 있는.

혜자	그럼 설명할게요.

혜자, 차트 넘기는데.
차트에 〈침투시간 오늘 밤 자정〉이라고 쓰여 있다.

혜자	홍보관에 침투할 시간은 모두가 잠든 오늘 밤 자정으로 할게요!
단순	나 10시면 세상 없어도 자야 되는데.

혜자	(헉) 음…. 자정은 안 되는 걸로. 그럼 9시…
장님	난 8시면 곯아떨어집니다.
몸빼	난 저녁 먹으면 바로 자요.
뽀삐	난 해만 떨어지면 자요.
혜자	음… (하다가) 좋아요. 그럼 내일 해 떨어지기 전에 남들한테 걸리기 쉽고, 누구나 구출하러 가는구나 알 수 있는 오전 10시에 침투하는 거로 할게요.

S# 32   공터 자동차 앞 + 트렁크 (N)

현주 상은, 렌터카로 온다.

상은	차만 괜히 빌렸네… 돈이 얼만데….
현주	괜찮아… 사실 (웃으며) 공짜였거든~ 삼촌이 거기서 일해서… 그냥 반납만 하면 된다네…. (차에 탄다)
상은	(차에 타며) 그래? 아싸!
현주	안전벨트 했지? 그럼 출발한다.
상은	응.

차, 시동 걸린다.

차 트렁크.
시동 소리 들리고.
영수, 눈 커지는.

| 영수 | (눈물 한 번 훔치곤 화색 돈다) 드디어 출발인가? 기다린 보람이 있네. (씩 웃는) 푸른 언… (소리 크게 냈다가 입 막는/ 작게 소리 내며) 덕에… 배낭을 메고 |

황금빛 태양…

S# 33   중국집 룸 (N)

몸뻬, 단순, 쌍둥이, 장님, 뽀삐할아버지.
뽀삐 재롱 보면서 좋아하고 있다.

뽀삐할	주세요!
뽀삐	(주세요 동작 귀엽게 하는)
우현	(걱정스런) 근데 누님. 유통기한도 얼마 안 남은 저희들 가지고 그 사람들 다 구할 수 있을까요?
일동	(중얼중얼) 맞어… / 우리 같은 노인네가…
혜자	몸은 그렇겠죠. 하지만 마음은 아니잖아요? 늙어보니까 알겠드라구요. 우리 마음이 몸에 있지 않다는 걸…. (하다 반짝) 트윈스!!
쌍둥이들	네?
혜자	둘이 완전 한 사람인 것처럼 할 수 있어요?
쌍둥이들	(자신 있게) 그럼요. 저흰 원래 똑같아요.
혜자	(끄덕, 나머지들 보며) 잘 들으세요. 지금부터 각자 잘하는 게 있으면 말씀해 주세요. 그래야 작전을 짜서 그 사람들과 이준하 팀장을 구할 수 있어요!

일동, 서로 쳐다보다가 씩 웃으면
노벤저스들에게 갑자기 빛이 나기 시작한다.

S# 34   거리 외경 / 몽타주 – 홍보관 모습들 (D)

앞마당에 서 있는 관광버스도 보이고
여기저기 험악한 어깨들 모습도 보인다.
야유회 준비하는 노인들 즐거워 보인다.

S# 35   홍보관 사무실 (D)

희원, 온몸에 건강팔찌, 건강목걸이 같은 것들을 한 상태로
각종 약들도 먹어가며 노인들 가족들에게 전화하고 있다.

희원   그럼요. 저희가 저녁 잘 대접해 드리고, 야유회 잘 모셔갔다가 사우나에
            가서 목욕까지 시켜드리고 올 겁니다. 그동안 어르신 돌보시느라 얼마나
            고생하셨어요. 오늘 같은 날 외식도 하시고 영화도 보시고 그러세요. 아유
            저희가 고맙죠. 네 들어가세요. (전화 끊고 사악하게 웃는)

S# 36   홍보관 일각 (D)

할머니 한 분, 복도 쪽으로 나오면.
검정 양복 입은 어깨들, 우르르 쳐다본다.

병수   어디 가시게요?
할머니   (괜히 주눅 들어) 아니 화장실 좀….
병수   화장실 가신단다. 잘 모셔다드렸다가 모시고 와라.
어깨1   따라오세요.

할머니　　　(겁먹고 따라가는)

S# 37　　거리 일각 / 거리 일각 (D)

거리 끝, 아무도 없는 거리에 서서히 사람들이 다가오며.
머리부터 보이기 시작한다.
혜자, 몸빼, 우현, 장님, 쌍둥이, 뽀삐할아버지 당당하게 걸어온다.
카메라 앞을 지나가면,
아주 천천히 그제야 등장하며 걸어오는 단순할머니.

S# 38　　홍보관 앞 비밀스런 장소 (D)

노벤져스 일동, 모여 있다.
혜자, 자못 심각한 표정.
시계를 바라보고 있다.
시계, 9시 59분을 가리킨다.

혜자　　　작전에 들어가기 1분 전이에요. 여기! 공진단이에요. 기력이 좀 생기실 거
　　　　　　예요. (나눠주면)

일동, 공진단 까서 우물우물 씹는다.

혜자　　　각자 역할 알죠? 각자 위치로.
일동　　　(복창) 위치로.

우현을 제외한 노벤저스, 혜자 뒤로 죽 늘어서면

혜자	(우현 보고) 제일 중요한 역할인 거 알죠?
우현	네.
혜자	(시계 보고) 우리가 지하실 입구에 도착하고 나서 정확히 10시 15분에 노인분들을 탈출시켜주세요. 부탁할게요.
우현	저 누님. 이거 끝나고 누님한테 정식으로 데이트…
혜자	(O.L) 싫어요!
우현	네.
혜자	(시계 본다) 자! 지금이에요!

우현, 후다닥 뛰어 들어간다.

S# 39   홍보관 복도 (D)

우현, 복도로 들어오면.
어깨들, 기다리고 있다.

병수	할아버지 뭐예요?
우현	화장실 갔다 왔지.
병수	가는 거 못 봤는데?
우현	아까 우르르 갈 때 갔다가… 내가 변비가 좀 있어.
병수	들어가세요.

하는데 입구 쪽에 혜자와 노벤저스, 오는 게 보인다.

혜자	(E) 일단 우리가 지하실 입구에 도착할 때까지 무조건 그놈들 주의를 돌려야 해요!
우현	(어깨들 보며) 근데!! 니들은 어디서 온 애들이냐?
어깨들	(???)
우현	니들 내가 누군지 아냐??
어깨들	(????)

우현, 윗옷 벗으면 민소매 티 나오는데, 쭈글쭈글한 호랑이 문신 보인다.

우현	들어는 봤나 모르겠다만… 내가 바로 그 무시무시하다는 말죽거리 애늙은이다! (문신 보이게 힘주어 포즈 잡는다)
어깨들	어르신 괜히 다치기 전에 그냥 들어가시죠?
우현	이것들이 진짜… 동생들 불러다 확 엎어버려? (싸울 태세)

우현, 선방을 날리려는데… 병수, 팔 뻗어서 우현 머리 잡으면.
우현 주먹이 안 닿는 거리.

우현	어허! 이 자식 봐라!! (계속 주먹질하는데)

그때 혜자, 몸빼, 장님, 뽀삐할아버지, 무사히 지나가는 거 보인다.

병수	이제 안 참습니다.
우현	됐어 이제! 참아! 그냥 들어가게!

하는데, 그제야 단순할머니가 아직 걸어오고 있는 모습이 본다.
어깨들, 뒤돌아보려고 하는데.

우현 … 가 아니라… (안 되겠다) 잠깐!! 이거 좀 볼래?

우현, 갑자기, 탭댄스를 추기 시작하는.
어깨들, 뭐 하는 거야? 하는 표정으로 보는.
단순할머니가 들키지 않게 계속 어깨들 주의 끌며 춤춘다.
단순할머니, 무사히 통과하고 나서

우현 (진 빠진다) 나… 들어가서 쉴게…. (다리 꺾이고 흐느적거리며 들어간다)

S# 40　　홍보관 강당 (D)

우현, 강당으로 들어가면.
고스톱 치고 있는 할머니 할아버지들, 장기 두고 있는 할머니 할아버지들
수다 떨고 있는 할머니 할아버지들, 다들 즐거운 분위기로 놀고 있다.

우현 잠깐만 내 얘기 좀 들어봐요!

할머니들, 할아버지들, 쳐다보는.

우현 오늘 야유회 간다고 알고 왔죠? 그거 사실 효도원 놈들이 보험금 타려고
　　　　수 쓰는 거예요. 야유회 간다는 데 나랑 몇몇 사람들은 왜 안 온지 알아
　　　　요? 우린 보험 안 들었으니까! 필요가 없으니까 안 부른 거라구요.
할아버지 뭔 소리여? 그럼 우린 왜 부른 거여?
우현 형님! 여기 약 하나 팔아준 거라도 있어요?
할아버지 (없다) 나중에 팔아주려고….
우현 누님은요? 거기 두 분은? 여기서 10원 한 장 안 쓴 사람한테 보험도 들어

주고 야유회도 보내주고… 우리가 이 나이 먹도록 배운 게 뭐 있어요? 세상에 거저먹는 돈 없고, 거저 베푸는 사람 없다.

할머니　　여기 사람들이 설마 흉악한 짓을 하려고….

할머니, 할아버지, 웅성웅성하는데.

우현　　가시든 말든 안 말리겠는데 차라리 죽든가… 어설프게 다치지나 마세요. 자식들 짐 되지 않게….

할아버지들, 할머니들, 조용해지는.

S# 41　　지하실 문 앞 (D)

지하실 문 앞에 모여 있는 혜자와 노벤저스.
시계를 보고 있는 혜자의 모습 위로

혜자　　(E) 10시 15분에 거기 사람들과 탈출하면서 어깨들을 유인하면 그때 지하실 문이 열릴 거고 우리는 들어갑니다.

S# 42　　홍보관 복도 + 강당 (D)

시계를 보고 있는 우현의 모습으로 넘어온다.

혜자　　(E) 그때부터 30분 안에 우리가 안 나오면 경찰에 신고해주세요.

우현과 함께 문 앞에서 여러 가지 준비를 하고 탈출을 기다리는 노인들 모습.

[INS] / 시계 10시 15분]

우현의 신호에 맞춰 문 열고 우~ 나가는 노인들
당황하며 막으려는 어깨들, 불만 폭주하며 제치고 나가는 노인들 모습

병수　　　(무전한다) 상황 발생. 빨리 이리로 올라와.

어깨들, 밀려나며 도망가는 노인들 쫓아간다.

S# 43　　**지하실** (D)

방들 앞을 지키고 있던 어깨들 두 명만 남기고 뛰어나간다.

S# 44　　**지하실 문 앞** (D)

지하실 문이 벌컥 열리고, 어깨들 달려 나온다.
어깨들 우르르 빠져나가면.
지하실 문 뒤에 숨어 있는 혜자, 몸빼, 단순, 쌍둥이, 장님, 뽀삐할아버지 들어간다.

S# 45　　**지하실** (D)

노벤저스, 지하실 내부를 몰래 살펴보는데

멀리 어깨 둘이 왔다 갔다 하며 지키고 있다.

다시 고개 넣는 혜자와 노벤저스

혜자　　(몸빼에게) 형님! 준비됐죠?

몸빼　　나야 항상 준비됐지. 내가 없는 거 빼고 다 있는 도라에몽 할머니 아니유.

몸빼할머니, 주섬주섬 몸빼에서 헤드셋 라이트를 꺼낸다.

혜자와 몸빼, 머리에 하나씩 쓴다.

혜자　　이젠 제 차례예요. (몸빼에게) 젓가락 한 개, 고무장갑 한 개!

몸빼　　(젓가락 한 개, 고무장갑 한 개 꺼내주면)

혜자　　아! 고무장갑 말고 그… 절연장갑 있어요?

몸빼　　(고무장갑을 몸빼로 다시 넣고, 절연장갑 꺼내준다)

혜자, 장갑 끼고 콘센트 쪽으로 가 젓가락 넣으면 파바박 전원 나간다.

깜깜해지는 지하실 내부.

당황하는 어깨들, 더듬거리며 무전하면서 밖으로 나가면

헤드셋 라이트를 켜는 노벤저스.

몸빼　　근데 전기는 왜 끊는 거야?

혜자　　똑같은 조건이면 우리가 유리해요.

혜자, 장님할아버지를 쳐다본다.

혜자　　김 선생님!

장님할아버지 어둠 속에서 쓱 일어난다.

할아버지 접혀 있던 지팡이를 편다.

혜자   (E) 각자 잘하는 게 있으면 말씀해주세요.

장님   (E) 난 말이요. 지팡이를 치면 퍼지는 파장으로 눈을 뜨고 보는 것보다 더 잘 볼 수 있다우.

혜자   지금이에요.

장님할아버지, 지팡이를 잡고 내리치면,
그 파동이 형체를 만든다.
지하실 내부 구조가 파동에 따라 훤하게 보이기 시작하는.

장님   복도 왼쪽으로 방 3개, 오른쪽 방 2개, 그 사이로 복도가 있고 오른쪽으로 꺾으면 좁은 복도, 그 복도 끝에는 다시 넓은 복도가 나와요.

혜자   (단순에게 헤드셋 넘기며) 언니는 좁은 복도 쪽으로 먼저 가 기다리세요.

단순, 고개 끄덕하고 헤드셋 쓰고는 비장한 표정으로 보행 보조기 끌며 간다.

S# 46   사무실 (D)

희원, 늘어지게 낮잠 자고 있는데,
문이 벌컥 열린다.
놀라 깨는 희원.

희원   무 무슨 일이야?

병수   다 갔어요!!

희원	가긴 누가 가? 어딜 가?
병수	노인네들 다 집에 갔다구요!!!
희원	뭐 임마? 근데 왜 이렇게 어두워?
병수	갑자기 전기가 나갔어요.
희원	나갔으면 들어오게 해 이 새끼야!!
병수	(옆의 부하에게) 빨리 고쳐봐!!
희원	준하 그 새끼는?
병수	…
희원	빨리 그 새끼한테 가 봐 그 새끼 도망가면 끝이야 이 새끼들아!

병수와 어깨들, 뛰어나가고.
희원, 열받아 하는 표정.

S# 47   지하실 (D)

혜자	김 선생님! 이 팀장은 어디 있어요?

장님, 다시 한번 지팡이를 치면.
5개의 방 중에 가까운 쪽 방에 앉아 있는 사람 형체 보인다.

장님	오른쪽 첫 번째 방에 이 팀장이 있는 것 같아요. 따라와요.

장님, 성큼성큼 걸어가면 따라가는 나머지 사람들.
방 앞에 서는데 문이 자물쇠로 잠겨있다.
몸뻬할머니, 몸뻬 안에서, 망치, 쇠톱, 장도리, 쇠 자르는 도구, 막 꺼내놓는다.

몸뻬   이거면 됐죠?

쌍둥이 할아버지들, 쇠 자르는 도구 들고 쇠사슬을 자른다.
문을 열고 들어가는데.

혜자   준하야!!

그런데, 묶여있는 사람이 준하가 아니다.
시계할아버지, 잠을 자듯 휠체어에 쓰러져 있다.

뽀삐   이 팀장이 아니잖아요?
장님   잠깐만요.

장님, 지팡이를 치면.
파동으로 지하실 전체가 보이는데.
반대쪽 끝방. 책상이 보이고 그 밑에 쓰러져 있는 준하가 보인다.

장님   반대쪽 끝 방이에요, 책상에 가려서 못 봤어요.
몸뻬   그럼 빨리 구하러 갑시다.
뽀삐   이 양반은 어떻게 하나?
몸뻬   지금 그 양반 챙길 때예요? 이 팀장 구해야지.
혜자   아니에요. 데리고 가요.
장님   짐만 될 거 같은데.
혜자   우리 중에 짐 아닌 사람 있나요? 제가 데리고 갈게 앞장서세요.

장님할아버지 따라가는 일동.

S# 48   지하실 준하 방 (D)

준하, 쓰러져 있는데 문이 열리고,
일동 들어온다.
혜자, 쓰러져 있는 준하를 발견한다.

혜자   준하야!! 괜찮아?

준하, 초점이 아직 안 돌아온 눈으로 혜자를 본다.

준하   (비몽사몽) … 혜자야!
혜자   (울컥) 응… 나 혜자야… (뽀뽀보며) … 빨리!

뽀삐할아버지, 준하를 부축한다.
일동, 복도로 나간다.

S# 49   지하실 (D)

몸빼할머니, 먼저 나와서 라이트로 앞을 비추는데.
복도 끝에 좀비 떼처럼 가득한 어깨들.
몸빼, 혜자를 쳐다보면.

혜자   라이트 꺼요!

몸빼, 헤드셋 라이트 끈다.

혜자　　　김 선생님! 앞장서세요.

장님　　　나 잡고 잘 따라와요.

어둠 속에서 어깨들을 뚫고 지나가는 이동이 펼쳐진다.

숨죽이며, 몸이 안 닿게 요리조리 빠져나오는 일동.

어깨들, 좀비 떼처럼 두리번거리는데.

그때, 라이터를 켜는 병수.

병수의 얼굴 바로 앞에 혜자의 얼굴이 라이터 불에 비쳐 보인다.

병수　　　여깄…

혜자, 후~ 라이터 불을 불어 끈다.

병수, 다시 켜면, 혜자 보이고, 혜자, 다시 불어서 끈다.

S# 50　　홍보관 복도 (D)

어깨 7, 8, 두꺼비집 다 고쳤다.

어깨 7, 두꺼비집 위로 올린다.

S# 51　　지하실 (D)

불이 들어오며 환해지는 내부

어깨들만 보이고 혜자와 일행이 보이지 않는다.

어깨들, 우왕좌왕하며 수색하는 중에 복도 입구로 보이는 한쪽에

쌍둥이 할아버지, 서로 마주 보고 서서 마치 거울을 닦는 것처럼 연기를 하고 있다.

혜자　　(E) 두 분이 한 사람처럼 움직일 수 있죠?

병수와 어깨들, 쌍둥이 할아버지를 지나쳐 다른 방만 뒤진다.

병수　　(잠깐) 쌍둥이 할아버지 아냐?

병수와 어깨들, 다시 가보는데 그 자리는 복도였다.

S# 52　　복도 꺾어진 지점 (D)

단순할머니 앞에 혜자 일행이 있다.
미안해하는 혜자에게 얘기하는 단순할머니

단순　　걱정 말고 어여 가. 여긴 내게 맡기고
혜자　　그럼 부탁할게요. 언니.

혜자, 노벤져스, 후다닥 가면
단순할머니 뒤로 좀비떼처럼 나타나는 어깨들

단순　　(E) 내가 잘하는 거? 난 세상 모든 사람을 느리게 만들 수 있다우.

[B.G – 엑스맨 퀵 실버 음악 (Time in a bottle)]
음악 흐르면서… 단순할머니, 천천히 걷기 시작하는데
병수와 어깨들, 단순할머니에 막혀 앞으로 나가지도 못하고
꽉 막혀서 같이 천천히 움직이는.

S# 53　지하실 마지막 복도 + 밖 (D)

혜자, 노벤져스, 지하실 끝 쪽 복도까지 도착했는데
지하실의 문들, 지하실 출입구를 비롯해 다 똑같이 생겼다.

혜자　　김씨 할아버지! 출구가 어디예요?

장님, 지팡이로 치고, 파동이 퍼져나가는데
갑자기 개 짖는 소리에 파동이 부딪혀 없어진다.
보면, 앞쪽으로 등장하는 희원, 사나운 사냥개 두 마리를 끌고 왔다.

희원　　당신들 거기 딱 기다려!!
장님　　아까까진 보였는데, 파동이 안 돌아와….

무섭게 짖는 개들의 서슬에 두려워하는 혜자와 노벤져스.

희원　　(혜자 보며) 그거 알아요? 나 할머니 처음 만났을 때부터 졸라 마음에 안
　　　　들었어.
혜자　　누군 당신 마음에 든 줄 알아? 당신 딱 봐도 나쁜 놈 같이 생겼어.
희원　　그죠? 그럼 이제부터 아주 최고로 나쁜 짓 하는 거 한번 보실래요?
　　　　(씩 웃으며) 물어!!

(SLOW) 희원, 손에 잡고 있던 줄을 놓는다.
일동에게 달려들기 시작하는 사냥개 2마리.

혜자　　어떤 개든 마음대로 조종할 수 있다고 했죠?
뽀삐　　(근엄한 목소리) 그렇습니다.

220

혜자   지금이에요!

뽀삐할아버지, 앞으로 나가 선다.
사납게 달려오는 사냥개들의 모습
비장한 표정의 뽀삐할아버지.
사냥개들 가까워져 할아버지에게 달려들려는 찰나…

뽀삐   (세상에서 가장 애교 섞인 목소리, 마치 여자 목소리처럼) 산책 가까?

사냥들, 사나운 표정에서 갑자기 행복한 표정으로 바뀌고는
휙 돌더니, 어느 문 앞으로 달려가 빙그르르 돌면서 즐거운 표정으로 꼬리치며 앉는다.

뽀삐   출구는 저기예요!!

혜자 일행, 그쪽으로 가는 그때, 뒤에서 오는 어깨들과
희원과 희원 쪽에서 오는 어깨들에 둘러싸인다.
혜자 일행, 희원에게 잡히는가 싶었는데
몸뻬할머니, 몸뻬 안에서 전기톱 꺼낸다.
전기톱 켜고는.

몸뻬   덤벼 봐! 이놈들아!! 이리 와보라구!!

몸뻬할머니, 위협하자 희원과 어깨들 다가오지 못하는
뽀삐할아버지, 출입구 문 열면, 개 두 마리 미친 듯이 뛰어나가고.
일동, 지하실 밖으로 나온다.
몸뻬할머니, 몸뻬 안에서 쇠파이프 하나 꺼내서
지하실 문에 끼워 넣는.

희원   이 새끼들아 빨리 열어!!

어깨들, 문을 어깨로 부딪치기 시작하고.

S# 54   홍보관 앞 (D)

홍보관의 봉고차 세워져 있고,
일동, 봉고차 앞까지 온다.
시계할아버지 태우고, 준하, 쌍둥이 탄다.

S# 55   봉고차 안 (D)

쌍둥이할아버지, 운전대 잡고, 나머지 몸뻬, 뽀삐 타고 있다.

뽀삐   빨리 출발합시다.
쌍둥이   아직 단순 씨랑 우현 씨가 안 왔는데.
몸뻬   지금 안 가면 잡혀요.
쌍둥이   (혜자 보며) 어떻게 할까요?
혜자   (고민하는데)

쌍둥이 할아버지, 출발하려고 하는데.
그때, "누님!!!" 부르는 소리가 들린다.
혜자 돌아보면.
우현, 단순할머니를 챙겨오고 있다.
그러나 그 뒤로 구름같이 몰려오는 어깨들.

S# 56　　봉고차 안 (D)

우현, 단순할머니를 보내고는 어깨들 앞에 버텨 선다.

우현　　　(멋지게) 여기까지!

어깨들, 우현의 서슬에 주저하고 있다.

우현　　　(고개 돌려 혜자 보며 감동 멘트) 누님! 그동안 참 즐거웠고 고마웠습니다.
혜자　　　(울컥)
우현　　　내가 누님께 쓸모가 있다는 게 너무 기쁘고 행복해요. 누님! 아니 희선씨!
　　　　　　불교에는 윤회라는 게 있대요. 다음 생엔 꼭 연인으로 만나요.
혜자　　　(눈물 그렁그렁) 저 교회 다녀요.
우현　　　아…

봉고차 출발하면
우현, 달려드는 어깨들과 한판 승부
나이를 잊은 말죽거리 애늙은이의 멋진 격투씬 보인다.

S# 57　　봉고차 안 (D)

도로를 달리는 봉고차.
단순할머니, 갑자기 킥킥 웃기 시작한다.

혜자　　　왜요?

이번엔, 몸빼할머니 웃기 시작하고, 전염병처럼 웃기 시작하는.

혜자도 함께 웃기 시작한다.

준하도 미소를 짓는다.

신나게들 웃고 있는 모습.

S# 58   트렁크 안 (D)

코 골며 자고 있는 영수

(E) 뱃고동 소리 들린다.

영수   (깬다) 뭐야? (다시 듣고) … 얘네 배까지 탄 거야? 그럼… (좋다) 제주도? 아
         싸! (뱃고동 소리 흉내 내는)

S# 59   봉고차 (D)

쌍둥이 형만 운전하느라고 깨어 있고,
모든 사람들 자고 있다.
준하, 창밖을 바라보고 있다.

[FLASH BACK]
쓰러져 있던 준하, 늙은 혜자를 보는데
젊은 혜자의 모습이 겹쳐 보인다.

준하   혜자야!

준하, 잠들어 있는 혜자를 바라본다.

그때,

쌍둥이   바다다!!

그 소리에 다들 일어나 창밖을 본다.

석양이 지는 바다. 한 폭의 그림 같은데.

장님   지금 바다는 어때요?

혜자   바다 위로 석양이 지고 있어요. 석양 때문에 하늘도 바다도 다 황금빛이

            에요. 꼭 바다가 미소 짓고 있는 것 같아요.

장님   아 그래요.

아련한 표정의 장님할아버지.

그 옆으로 젊은 시절의 모습(사진) 오버랩된다.

1980년대 중동 건설 현장의 역군의 모습.

동료들과 찍은 사진 속 멋진 할아버지의 젊은 모습.

미소 짓는 장님할아버지 옆으로 몸빼 할머니가 석양을 바라보고 있다.

너무도 풋풋했던 어여쁜 20대의 모습(사진) 오버랩된다.

예쁜 양장 투피스를 입고 꽃나무 아래서 찍은 젊은 사진.

행복해 보이는 젊은 엄마의 모습도 보인다.

단순할머니도 석양을 보고 있다.

육상선수였던 김단순 선수의 모습(사진) 오버랩된다.

건강하고 젊었던 20대의 모습들 보인다.

운전석과 조수석에 앉아 있는 쌍둥이 형제.

석양을 보고 있다.

어린 시절의 개구진 표정의 쌍둥이들의 모습(사진) 오버랩된다.

고등학교, 군인 시절의 쌍둥이 모습.

뽀삐할아버지, 강아지 뽀삐 안고 석양을 보고 있다.

20대의 젊은 아빠, 이쁜 아기(딸) 안고 찍은 모습 (사진)

눈부셨던 젊은 시절의 모습들…

그렇게 봉고차는 바다를 향해 달려가고 있다.

S# 60   동네 외경 / 중국집 + 렌터카 매장 (N)

상은과 빼갈 마시던 현주.

현주	혜자는 잘 가고 있으려나?
상은	걔 어디 가는데?
현주	바다 가고 싶다고… 준하 찾으면 같이 간다고 했어….
상은	(뭔가 생각하다가) 야 진짜… 우리 캐리어 어디 있니?
현주	응? 캐리어? 아 맞다! 트렁크!! 차 트렁크에서 우리 캐리어 안 뺐다.
	(급하게 어디론가 전화하는) 삼촌! 어제 반납한 그 차… 나 거기 트렁크에 캐
	리어 넣어 놓구 안 뺐어. 그거 아직 안 팔렸지?
삼촌	(F) 응? 어떡하냐? 그거 팔렸는데?
현주	그럼 거기 연락해서 내 캐리어 좀 돌려달라고 해줘!
삼촌	(F) 응? … 그게 안 될 거 같은데….
현주	왜? 사 간 사람 연락처 같은 거 있을 거 아냐.

삼촌	(F) 아니 그 차가 해외에 팔렸어. 왜 우리나라 중고차들 아프리카에서 인기 좋잖아….
현주	(놀란) … 아… 그래? 그럼 아프리카로 팔렸다고?
삼촌	(F) 응… 아마 지금쯤이면 벌써 적도 근처쯤 가고 있을걸?
현주	(아쉽다) … 어쩔 수 없지 뭐… 귀중품 든 것도 아니고… 알았어 삼촌… 다음에 우리 여행 갈 때 또 한 번 빌려줘~ (사이) 땡큐 삼촌! (끊는)
상은	그 차가 아프리카에 팔렸다고?
현주	응… 어떡하냐…. (상은 눈치 보면)
상은	뭐… 나도 어차피 버리려고 했던 옷이야.
현주	그래… 액땜했다 치자고! (홀가분한 표정 지으려는데 자꾸 뭔가 찝찝하다) 근데… 뭐지 이 찜찜한 기분은…??

S# 61   바다 위 (D)

트렁크 타이트 샷에서 들리는 영수의 노랫소리.

| 영수 | (OFF) 떠나요 둘이서~ 모든 걸 훌훌 버리고~ 제주도 푸른 밤 그 별 아래 이제는 더 이상~ 얽매이긴 우리 싫어요~ 신문에 TV에 월급봉투에… |

카메라 점점 빠지면 바다 위를 힘차게 달리는
커다란 아프리카행 로로선의 모습 (또는 컨테이너 쇼링) 보인다.

S# 62   바닷가 (N)

모닥불이 피어 있는 바닷가.

모닥불에 모여 앉은 사람들.

아까의 즐거움은 사라지고, 얼굴 면면의 쓸쓸함이 보인다.

혜자, 준하를 바라보는데,

준하, 멍하게 불만 바라보고 있다.

혜자 눈에 시계 할아버지가 보인다.

무릎 담요가 바닥까지 흘러 내려와 있다.

혜자, 시계 할아버지한테 다가가 무릎 담요를 덮어준다.

자고 있는 줄 알았던 할아버지 말똥말똥 혜자를 보고 있다.

할아버지, 잘 움직이지 않는 팔을 들어 시계를 잡는다.

억지로 벗기려는. 그러더니 시계를 풀러 손에 쥐었다.

혜자에게 시계를 내민다.

혜자, 시계를 받지 못하고 멍하게 서 있는데.

오랫동안 쥐지 못하고 시계를 모래사장에 떨어트리는 할아버지.

혜자, 바닥에 떨어진 시계를 보는데.

눈에 들어오는 시계 뒷면의 이니셜 HJH…

[FLASH BACK]

시계를 찬 손목/ 예복 입은 준하 모습 잠깐/ 웃는 준하와 젊은 혜자의 모습

혼란스러워하는 혜자

이때 들리는 경찰차 사이렌 잠깐, 그리고 경광등 불빛

혜자, 고개 돌리면

누군가　　(OFF) 엄마/ 어머니!!!

혜자, 눈 찡그리며 자세히 보는데 아빠랑 엄마다.

멀리서 혜자 쪽으로 달려오고 있다.

아빠   엄마!!!

엄마   어머니!!!

이게 뭔 상황이지? 하는 혜자의 표정. 그때

어린아이   (OFF) 엄마…

혜자, 소리 난 쪽으로 고개 돌리는데

상복을 입은 젊은 엄마와 서너 살 되어 보이는 아이.

유골을 뿌리는 듯 보이던 젊은 엄마, 고개 돌려 혜자를 보는데

그 젊은 엄마는 바로 혜자의 젊었을 때의 모습이다.

처연하게 바라보는 젊은 혜자.

한동안 두 사람의 모습 보이다가

혜자, 다시 홍보관 노인들 쪽으로 시선 돌리는데

아무도 보이지 않는다. 준하도, 노벤저스도 아무도 없다.

아니 아예 처음부터 그 자리에 없었던 듯하다.

혼란스러운 혜자, 바닥을 보면 여전히 떨어져 있는 시계.

혜자, 시계를 주우려 허리 굽히면

S# 63   **몽타주** (N)

1회 5살의 어린 혜자가 바닷가에서 시계를 주워 드는 장면으로 연결//

시계를 돌려 시험을 고치던 장면//

아버지를 살리겠다고 몇 번이고 시계를 돌렸던 장면//

준하와 함께했던 젊었던 혜자의 장면//

화면이 점점 빠르게 흘러가다가 녹아 없어지며 (F.O)

S# 64　　응급실 몽타주 (D)

(F.I)

혜자, 침대에 누워 있고 응급실로 옮겨진다.

혜자 머리 위로 병원의 불빛들 지나간다.

(F.O)

(F.I)

혜자의 어슴푸레한 시선에

예전 택시기사복을 입고 있는 아빠(소개되지 않았던)

예전 의상을 입은 엄마(소개되지 않았던)의 모습이 보인다.

혜자　　　아빠… 엄마…

그 아빠의 모습이 아빠(소개된: 아들)의 모습,

그 엄마의 모습이 엄마(소개된: 며느리)의 모습으로 바뀐다.

대상　　　엄마! 엄마!

정은　　　어머니 저 알아보시겠어요?

(F.O)

(F.I)

혜자, 누워 있고

달려들어 오는 의사 가운의 준하(실제 김상현).

병원의 의사를 만나 얘기한다.

상현　　　제가 저분 요양원에서부터 담당했던 의사입니다. 김상현이라고 합니다.

혜자   (Na) 긴 꿈을 꾼 것 같습니다. 그런데 모르겠습니다. 젊은 내가 늙은 꿈을
　　　　　꾸는 건지⋯ 늙은 내가 젊은 꿈을 꾸는 건지⋯.

(F.O)

(F.I)

혜자, 눈뜨면 아들, 며느리 보이고

병원 의사와 얘기 나누는 준하(상현)의 모습.

상현   바이탈 체크 결과는요?

의사   맥박, 체온, 호흡은 정상인데 혈압이 좀 높은 상태입니다.

상현   (얘기 듣다가 혜자 쪽 봤다가) 혈압은 계속 체크 부탁드리구요. 혈액검사 좀
　　　　　보내주세요. 깨어나시면 오리엔테이션 확인해주시고 CT랑 EEG도 진행
　　　　　해야 될 것 같습니다. 혼란스러울 수 있으니까 무리하게 말시키면 안 좋
　　　　　을 것 같아요.

준하(상현)의 목소리, 점점 작아진다.

혜자   (Na) 저는 알츠하이머를 앓고 있습니다.

혜자의 모습 클로즈업되면서 엔딩.

Episode 11

S# 1   시계방 앞 거리 (D)

눈이 부시게 햇살이 쏟아지는 어느 오후.

70년대의 거리가 보인다.

70년대 거리를 걷는 사람들,

그 가운데 젊은 혜자의 모습이 보인다.

혜자, 밝은 표정으로 걷다가 시계방 앞에 멈춰 선다.

시계방 창문에 바짝 붙어 시계를 보고 있다.

쇼윈도 너머로 보이는 멋진 시계.

문제의 그 시계다. 지민(젊은 혜자)을 나이 들게 한 그 문제의 시계.

혜자, 그 시계를 보며 잔뜩 설렌 표정으로 미소 짓는 데서. (F. O)

S# 2   빈집 또는 구석진 곳 (N)

(F.I 되면)

여기서부턴 70년대 의상, 분장.

벽돌을 드는 손 보인다.

보면, 화난 모습의 준하, 씩씩거리고 있다.

손에 쥔 벽돌로 머리를 찍으려는데

그때 준하의 손을 잡는 손. 젊은 혜자다.

뛰어온 터라 숨 몰아쉬며 고개 젓는다.

혜자	(눈물 그렁그렁) … 준하야….
준하	(혜자를 알아보고 좀 놀란 듯 멈칫)
혜자	그러지 마. 아프잖아. 아파할 거잖아. 두고두고 아파할 거잖아.
준하	(그런 혜자를 보다가 고개 떨구고)

우는 준하를 품에 안고 우는 혜자.

준하, 혜자 품에서 펑펑 목 놓아 우는.

S# 3   옥상 (N)

옥상에 올라온 혜자와 준하.

병맥주 한 병씩 들고 있다.

준하   (혜자 보다가) 난 진짜 바다 건너 제주도 빼곤 안 살아본 곳이 없어. 매번 사
         고 치는 아버지 때문에 초등학교 6년을 다 다른 학교에서 다녔으니까….

혜자   힘들었겠다… 친구도 못 사귀고….

준하   그래서 어딜 이사 가든 언제든 떠날 수 있는 곳이란 생각밖에는 못해서….
         동네에 정을 붙인다는 얘기가 이해가 안 가더라고… 근데 약간 알겠어.

혜자   왜. 난 우리 동네 좋아하는데… 너무 말이 많은 것만 빼면… 그래도 여기
         봄 되면 꽤 괜찮아. 꽃도 많이 피고. 예뻐. 봐줄 만해.

준하   그래? 그럼 같이 보자.

혜자   (보는데)

준하   (혜자 보며) 봄. 같이 보자고.

혜자   (순간 두근두근… 맥주만 콸콸 부어 넣고) 아… 취기 오르나부다… 열나네….
         가… 가자…. (일어나는)

S# 4   거리 일각 (D)

// S# 1 연결

시계방 앞에서 입었던 옷 입고 있는. 걷고 있는 혜자.

혜자, 도로 앞에 멈춰서고

도로 반대편에 준하, 서 있다.

혜자, 반갑게 손 흔든다.

준하도 혜자보고 손 흔든다.

혜자, 준하를 향해 무단횡단을 하는데.

그때, 울리는 호루라기.

S# 5　　거리 일각 (D)

새끼줄로 네모나게 줄이 쳐져 있고, 사람들 몇이 그 안에 민망한 표정으로 서 있다.

혜자도 뻘쭘하게 그 안에 같이 서 있다.

줄 앞에 무단횡단 단속이란 푯말이 붙어 있다.

옆에는 단속 완장 찬 단속반, 서 있다.

줄 밖에서 혜자를 보고 있는 준하.

준하　　(혜자 보다가 단속반에게) 저기… 이러고 얼마나 있어야…

단속　　(메모하며) 그러게 누가 무단횡단하래요?

혜자　　(스스로에게 답답) 첫 데이트에 이게 뭐야?

준하　　괜찮아 기억에 남고 좋은데 뭘.

단속　　거기! 거기 있지 말고 저리 가요.

준하　　(어쩌지? 하다가 곧 미소 지으며) 내가 갈게.

혜자　　(간다는 말에 당황) 어? (실망) 어…

준하, 성큼성큼 차도로 프레임 아웃

(E) 호루라기 소리

그때, 다른 경찰한테 잡혀서 오는 준하.

준하, 줄 안으로 들어온다.

혜자　　왜 그랬어?

준하　　첫 데이트잖아.

혜자, 기분이 풀렸다. 혜자 미소 짓는데.

준하, 조용하게 쓱 혜자 손잡는다.

아까 그 단속반, 둘 손잡은 것 보고 인상 쓰는데

둘, '뭐? 왜?' 하는 입 모양

단속반, 딱히 뭐라고 못하고 쩝

줄 안에서 손잡고 있는 준하와 혜자.

S#　　　　**인서트** (D)

계절이 여름에서 가을로 바뀌는.

S# 6　　**창경원 또는 비원 같은 공원 일각** (D)

혜자, 준하, 손잡고 나란히 걷고 있다.

서로 말도 없이 걷고 있는.

혜자, 뭔가 잔뜩 긴장한 표정이고,

반면, 준하는 주변 경치 보며 여유 있는 표정이다.

준하, 혜자, 사람 없는 한적한 곳으로 왔다.

준하	여긴 사람도 별로 없네.
혜자	(반짝!) 그러게 별짓을 다 해도 모르겠다. 여긴.
준하	(은은한 눈빛으로 혜자를 보는)
혜자	(발그레해지며 고개 숙이고 입술 준비)

혜자, 드디어 올 게 왔구나.

준하, 혜자의 볼을 살며시 터치하는.

혜자, 왔다! 눈감고, 입술 내밀고, 다리 하나 뒤로 살짝 들어서

완벽한 키스 자세를 취하는데.

준하, 손가락으로 혜자의 볼에 묻은 무언가를 너무도 정성스럽게 닦아준다.

닦을 때마다 나는 소리.

(E) 유리창을 손가락으로 닦을 때 나는 소리.

준하	볼에 뭐가 묻었길래. 가자. (먼저 가면)
혜자	(빈정 상해서) 왜 아예 보조개 생길 때까지 문질러주지?
준하	(돌아서서 웃으며 손 내미는) 이리 와!
혜자	(금세 웃으며) 미워할 수가 없네 아주. 저리 웃으니 가야지 모. (웃으며 투스텝으로 뛰어가고)
준하	(그 모습이 귀여워 또 웃는다)

S# 7 요양병원 병실 (D)

상현의 얼굴로 넘어온다.

보면, 나이 든 혜자, 병실에 누워 있다.

링거 수액 양 조절하고 있는 상현.

상현, 의사 가운에 김상현이란 이름표 달고 있다.

혜자, 누워 있는 모습이 보인다.

현주/상은   (E) 깔깔깔 웃는 웃음소리

S# 8   현주네 중국집 (N)

현주, 상은, 깔깔거리며 웃고 있고.

혜자, 빼갈 원샷하고 있다.

현주   결국 오늘도 키스는 못 한 거야?

혜자   사귄 첫날 손잡길래, 이렇게 빨라도 되나 싶었는데, 몇 달 내내 손만 잡고 다닌다. 야 신체 건강한 남자가 손잡으면 안고 싶고 안으면 키스하고 싶고 그런 거 아니야? 얘는 도대체 진도를 안 나가.

상은   난 순수해서 좋구만… 너무 밝히는 남자는 좀 그렇잖아.

혜자   언제까지 순수할 건데?

현주   얌전히 기다려. 언젠가는 하겠지.

혜자   불안해서 그러지. 걔가 좀 잘났어? 서현이 그 기집애는 아나운서되더니 아주 대놓고 찝쩍거리지. 그리고 준하 걔… 선자리도 어마어마하게 들어온단다. 내가 안 불안하겠어?

상은   그럼 아예 결혼하자 그래라?

혜자   60년대까지야 남편 얼굴도 모르고 결혼했다지만 지금이 무슨 시대냐? 바야흐로 리버럴 70년대 아니냐. 키스 정도는 하고 결혼해야지. 안 그래?

현주   어쩌냐? 얘기 들어보면 올해 안엔 힘들 것 같은데.

혜자   (빼갈 원샷) 이준하! 내가 반드시 키스하게 만든다!! 각오해라!

S# 9   공원 앞 (D)

// S# 8의 공원

준하, 먼저 기다리고 있고, 혜자, 준하에게 뛰어온다.

준하   왔어. 오늘 우리 뭐할까?

혜자, 입술이 최대한 부각되게, 키스를 하고 싶게 입술을 만들며 말한다.

혜자   우리 맛있는 거 먹으러 가자.

준하   (조금 이상하지만) 그래. 맛있는 거 뭐 먹을까?

혜자   그거 먹고 싶어. (입 쭉 내밀고) 쭈.꾸.미.

준하   쭈꾸미? 갑자기?

혜자   응 쭈.꾸.무.이

준하   근데 갑자기 쭈꾸미를 어디서 먹어야 되지?

혜자   (잠깐 생각하다 입 내밀고) 충.무.

준하   충무? 혹시… 여기서 가는데 한 10시간쯤 걸리는 경남… 충무?

혜자   (끄덕끄덕) 충…무….

준하   (좀 이상하다 싶자) …혹시 어디 아퍼?

혜자   (계속 입술 만들며) 아니 아픈데 전혀 없쑈.

준하   (시계 보며) 충무 가서 쭈꾸미 먹을 거면 지금 출발해도….

혜자   (김 팍 샌다) 아 됐어. (입가가 뻐근한지 만지며) 대충 떡볶이나 먹어. (앞장서 가며 턱 운동) 아우… 쥐 난다 쥐 나.

준하   (맹) 쭈꾸미 먹고 싶다며…. (뒤따라가고)

S# 10   공원 일각 - 몽타주 (D)

혜자, 준하, 나란히 걷고 있다.
혜자는 준하의 눈치 없음에 약간 삐진 듯

준하   국제극장에서 에덴의 동쪽 한다 그러던데. 그거 보고 싶어 했잖아.

혜자   (입 모양) 그냥 오늘은 너랑 걷고 싶어서. 둘이 저 길을 쭈~~~욱.

준하   그래 이것도 나쁘지 않다.

혜자, 준하, 걷는데,
혜자, 자꾸 준하를 힐끔힐끔 쳐다보며 걷는다.

준하   좀 춥다. (혜자 보는) 춥지?

준하, 자기가 매고 있던 목도리 푼다.
준하, 혜자 목에 걸어준다.
혜자, 왔다!!
준하, 혜자 목도리 매주면서 자연스럽게 아이컨택이 된다.
혜자, 쓱 눈감고 다리 뒤로 드는데.
준하, 목도리만 매어주고 그냥 먼저 걸어간다.

혜자   누가 춥대? (손부채질) 하… 너 왜 그러니?

(Cut to)

혜자, 화장실에서 나오는데 준하, 기다리고 있다.
준하, 손수건 건네주면. 젖은 손으로 손수건 받고 바로 눈감고 다리 뒤로 드는 혜자.

혜자, 준하, 벤치에 앉아 있다.

혜자, 불만 가득한 표정으로 앞에 보고 있다가

뭔가 느낌이 이상해 옆을 보면, 준하 계속 혜자를 보고 있다.

혜자, 아 왔다!

혜자, 부끄럽게 자연스럽게 눈 감는데.

준하, "에취!!" 재채기하기 전에 멈춤 현상이었다.

혜자, 그럼 그렇지 하는 표정.

S# 11   으슥한 숲속 옆 (D)

혜자, 준하, 손잡고 걷고 있다.

혜자, 뭔가 결심이 선 얼굴이다.

혜자   우리 저 안으로 가자.

준하   저긴 왜?

혜자   나무 가까이서 좋은 공기 좀 맡아보고 싶어서. 가자.

혜자, 발그레해져서 준하를 끌듯이 손잡고 숲속으로 데리고 들어간다.

Cut to

준하, 코 막고 옆에 서 있고,

혜자, 똥 밟았는지 바닥에 신발을 직직 끌어 닦는.

혜자   (울분에 찬) 어떤 자식이 여기다 똥을… 도토리로 아 주… XXXX XX 버릴
            까 보다!

준하   (혜자의 걸출한 욕에 살짝 겁먹는 듯한)

S# 12   혜자 방 (N)

현주, 상은, 삶은 고구마와 동치미 놓고 먹고 있다.
혜자, 씩씩거리며 들어온다.

혜자   니들 혹시 입술 안 필요하냐?

현/상   (??)

혜자   키스도 못 하는 입술 니들 가져라. 상은이 너 가질래? (양 손가락으로 입술 떼어주는 시늉)

상은   (고구마 손에 들고 고개 절레절레)

현주   (동치미 내밀며) 한 사발 할래? 답답할 땐 동치미가 최고다.

혜자   (뭔가 고민하더니) 일어나, 가자.

현주   어딜?

혜자   저 위 방앗간 뒤쪽에 용한 점집 있대.

현주   점집엔 왜?

혜자   이게 한낱 인간이 해결할 문제가 아니야. 가서 언제 키스해야 되는 지 날 좀 받아야겠어.

현주   하다 하다 이제 키스하는 날까지 받겠다고?

혜자   그래 부적도 쓸 거다 왜? 빨랑 일어나.

상은   (고구마 껍질 벗기고 있다)

혜자   너도 일어나.

상은   난 안 간다.

혜자   우리 중엔 니 인생이 제일 답답하거든. 너도 점 좀 봐.

상은   난 고구마 먹을란다.

혜자   (상은 고구마 뺐으며) 니가 고구마야 이 답답아. 일어나.

S# 13   점집 안 (N)

대장군 그림, 촛불, 향등 여느 점집과 비슷한 모습이다.
문 열고, 혜자, 현주, 상은, 앉는데.
앉아 보면, 점쟁이 앉아 있다.

점쟁이   어떻게 왔어?

혜자   제가 남자친구가 있는데요. 아직 키스를 못 했거든요. 그래서 언제쯤 할
          수 있는지 알 수 있을까요?

점쟁이   (중얼중얼) 내일 하겠네.

혜자   내일이요.

점쟁이   내일 키스하기 딱 좋은 날이네.

혜자   진짜죠? 진짜 내일 하는 거죠?

점쟁이   … (불쌍하게 혜자 보기 시작하는)

혜자   (신났다가 점쟁이보고) 왜요?

점쟁이   (한숨) 아니야 아무것도. (혼잣말처럼) 내가 말린다고 안 할 것도 아니고….
          다 지 팔자인 거지. (현주 보고) 너도 볼 거야?

현주   아니요.

점쟁이   점은 니가 봐야 돼!

현주   왜요?

점쟁이   너 혹시 수녀님이나 스님 될 생각 없니?

현주   없는데요.

점쟁이   두상도 이쁜데 스님 되지 왜?

현주   싫다니까요.

점쟁이	그러지 않고는 안 떨어져.
현주	(답답) 뭐가 안 떨어지는데요?
점쟁이	평생 딱 세 번, 땅을 칠 후회를 할 사주야… 근데 됐다 됐어. 잘 키워.
현주	뭘요?
점쟁이	잘 키워 그냥! (상은 보는) 너는 가수냐 탤런트냐?
상은	(신기한 듯) 헉! 그걸 어떻게?
점쟁이	딱 보니 재인 관상이구만….
상은	아… 저 지금 가수 연습생이에요.
점쟁이	(갸우뚱) 가수면… 벌써 떴어야 하는데…. (상은 뚫어지게 보는) 뭐가 이렇게 막혀 있냐? 막혀도 꽉 막혔네.
상은	막혀… 혹시 제가 변비가…. (하는데)
점쟁이	너 이름이 뭐야?
상은	윤상은이요.
점쟁이	윤상은… 이름 때문이네. 이름이 재인의 이름이 아니야.
상은	!!!
점쟁이	넌 이름만 바꾸면 확 뜬다.
상은	이름이요? 뭘로요?
점쟁이	(눈감고 중얼중얼) 복 복자에 기쁠 희 써서 복희.
상은	복희? 윤복희?

S#   **70년대 동네 외경** (D) – (N)

[B.G - 새마을 노래]

새마을 노래 이어지며, 낮에서 밤으로 시간 넘어간다.

S# 14　동네 일각 (N)

혜자, 준하, 손잡고 걷고 있다.

준하	저기….
혜자	(얼른) 어 어 왜? (초롱초롱한 눈빛)
준하	집에 데려다줄게. 부모님이 걱정하시겠다.
혜자	아직 시간 많은데 뭘.
준하	조금 있으면 통행금지 시간인데.
혜자	… (혼잣말) 오늘 하는 거 좋아하네.
준하	가자 큰일 나겠다.
혜자	(체념) 큰일은 니가 큰일이구요…. 그래 가자 가.

(E) 통행금지 사이렌.

통행금지 사이렌이 울린다.

그리고 여기저기서 들리는 호루라기 소리.

혜자　　어떡해?

준하, 혜자 손 꽉 잡더니 뛰기 시작한다.

단속반원들, 호루라기 불면서 따라오고.

준하, 혜자, 도망가는데 앞쪽에서도 단속반원들이 온다.

어쩌지… 하는 순간

준하, 혜자를 확 끌어당겨 나무 그늘 같은 곳으로 숨는데

혜자, 고개를 들자 바로 준하의 턱이 보인다. 두근두근…

단속반원들 점점 다가오자 준하, 혜자를 더 당겨 안는다.

곧 멀어지는 단속반원들 소리.

그제야 준하, 안심한 듯 팔에 힘을 풀고 혜자를 보는데

준하에게 안긴 채 빤히 쳐다보고 있는 혜자.

준하, 혜자를 한참 보다가 천천히 다가가 입맞춤을 하고는

뭔가 머쓱한 듯 팔을 풀려고 하는데

혜자, 준하를 턱 하고 잡는다.

그리고 확 끌어당기는.

혜자와 준하, 키스를 한다.

S# 15   중국집 룸 (N)

현주, 상은, 말똥말똥 보고 있으면.

혜자   (OFF) 쯧쯧쯧. 노말한 입술들 봐라. 어떻게 입술에 희로애락들이 안 보이
        냐… 서사가 없어요 서사가….

현주   서사 같은 소리하네. 도대체 키스를 어떻게 했길래… 입술로 싸웠냐?

둘 시선 따라가면 혜자 앉아 있는데.

장시간의 키스로 인해 입술이 퉁퉁 부어 있다.

혜자   키스도 안 해본 것들이 뭘 알겠니? 부끄러운 줄 알아야지들.

현주   김혜자! 이제 원 풀었으니 두 다리 쭉 뻗고 자겠네.

혜자   그럼. 키스했으니까. 이젠 순서에 입각해서 제대로 프로포즈 받고 결혼
        한다!

현주   근데 그 전에 다리몽둥이 부러지지 않을까?

혜자   왜? (하다 깨닫고) 아… 이거. 뭐 넘어졌다 그러지 뭐.

상은   어떻게 넘어지면 입술로 착지를 할 수 있는데?

혜자	(걱정인) 그치 이거 쉽게 가라앉을 거 같지 않지? (피식) 아우 준하 걔는 뭘
	해도 너무 열심히 하니까. 걔 너무 성실해서 큰일이야. (헤 웃는데)
현주	걘 성실하고 넌 실성하고 그지?
혜자	나 며칠 니네 집에 있어야겠다. (또 피식) 여기서 또 키스하면 펠리칸처럼
	늘어나겠다 그치?
상은	(끄덕끄덕) 역시… 그 점쟁이가 용하긴 했네.
혜자/현주	(응? 하며 보다가) 내 키스 말고 또 뭐 맞춘 거 있어?
상은	짜잔. 내 데뷔 앨범

상은, 앨범 꺼내는데, 앨범에 윤복희라고 쓰여 있다.

혜자/현주	우와 상은아 축하해.
상은	상은이 아니다. 봐라 윤복희.
혜자/현주	그래 윤복희. 우리 복희 최고네.

S# 16 요양병원 혜자 병실 (D)

혜자, 병실에 앉아 추억에 젖어 사진을 보고 있다.
혜자, 현주, 상은, 셋이 찍은 사진들 보인다.
그리고 상은, 무대에서 노래하고 있는 사진들 보인다.

그때, 물통 들고 들어오는 정은.

정은	어머니.
혜자	(보면)
정은	친구분들 오셨어요.

"혜자야!" 부르며 들어오는 현주.

혜자　　　현주야! 상은아!

보면, 현주 뒤로 윤복희 들어온다.

복희　　　복희라니까!

현주, 복희, 다가와 "혜자야~" 하며 혜자 안는다.
현주, 손에 삼단 찬합 들고 있고.

현주　　　괜찮은 거야?
혜자　　　응. 괜찮아. 복희는 바쁠 텐데 어떻게 왔어?
복희　　　바빠도 와야지 우리 혜자 보러 오는데.
현주　　　뭐 먹을지 몰라서 너 좋아하던 유산슬이랑 이것저것 좀 해왔는데….
　　　　　　먹을 수 있지? (울먹울먹)
혜자　　　뭐 하러. 여기 밥 잘 나와. 복희 넌 어쩜 그대로다. 아직도 예뻐.
복희　　　(미소) 너도 예뻐. 좀 어때?
혜자　　　괜찮아. 현주야 뭐 이래저래 보는데 요새 TV를 봐도 복희 너가 안
　　　　　　나와서…
복희　　　아쉬웠어? 그럼 노래라도 한 곡 라이브로 뽑아줄까? 여러분 어때?
　　　　　　(노래) 내가 만약 외로울 때면……
현주　　　(복희 입 막는)
복희　　　왜?
현주　　　야! 이 상황에 지금 그 노래가 어울린다고 생각하냐?
복희　　　아 그런가? 그럼 그거 불러줄게. (혜자 보며) 너 좋아하던 노래.

윤복희 〈봄날은 간다〉 노래 부른다.

그 노래 위로 현재와 과거의 모습들이 지나간다.

S# 17　　요양병원 로비 또는 일각 (D)

〈봄날은 간다〉 노래 흐르면서.

현주와 복희, 혜자를 휠체어에 태워 걸어가고 있다.

그때, 몸뻬할머니, 혜자 보고 반갑게 손 흔들면,

혜자도 손 흔드는데.

몸뻬, 윤복희 보더니 눈 커지며 다가오는.

몸뻬　　어머. 윤복희 씨 아니세요?

혜자　　일전에 얘기했죠 내 친구가 윤복희라고.

몸뻬　　나는 그냥 하는 소리인 줄 알았드니 진짜였네. 사인 좀 한 장 받아도 돼
　　　　　요? 우리 막내딸이 참 좋아해요.

혜자　　그럼요. 복희야 사인 좀 해드려. 나랑 같이 수업 듣는 분이셔.

복희　　그래요? 잠깐만요. 매니저한테 펜이랑 종이 좀 가져오라고 할게요.

몸뻬　　저 있어요.

몸뻬, 몸뻬 속에서 종이랑 사인펜 꺼내주는.

복희, 사인하는데.

복희　　이름이 어떻게 되세요?

몸뻬　　차은숙이라고 써주세요. 제 딸이에요.

복희, to 차은숙이라고 쓴다.

Cut to

노벤저스 멤버들 줄 서서 사인받고 있다.

단순할머니에게 사인해주는 복희.

그 뒤로 뽀삐 할아버지, 뽀삐 안고 서 있다.

뽀삐   (근엄한) 뽀삐 아빠라고 써주세요.

복희   (뽀삐 아빠라고 쓰는데)

뽀삐   (사인받고 좋아서 뽀삐에게/ 근엄한) 뽀삐야 이것 봐라 아빠 사인 받았다. 기분
도 좋은데 우리 뽀삐 (애교 섞인) 산책 가까?

복희 앞에 쌍둥이 형, 서 있는.

복희, 올려다보더니.

복희   아까 받지 않으셨어요?

형   그건 우리 동생이구요.

저쪽에서 쌍둥이 동생, 손 흔들고 있다.

형   쟨 눈썹이 까맣고 전 눈썹이 하얗습니다. (간다)

다음엔 장님 할아버지다.

장님할아버지 전 사인 받고 싶은데 앞이 안 보이네요.

복희   음… 잠깐만요.

복희, 일어나 장님할아버지 뒤로 간다.

복희, 등어리에 손가락으로 꾹 눌러.

윤복희라고 손가락으로 사인해주는.

할아버지, 환하게 웃으면.

그런 모습 보는 혜자, 현주도 환하게 웃는다.

복희　　　다 됐나?

현주　　　더 없는 것 같은데.

혜자　　　친구 잘 둔 덕에 내가 어깨에 힘 좀 주고 다니겠어.

현주　　　복희도 배고플 건데 싸 온 음식이라도 좀 먹자.

그때, 상현, 혜자 있는 쪽으로 온다.

현주, 복희, 헉하며 놀란다.

상현　　　(인사하며) 친구분들 오셨나 보네요? 그럼 이따 진료 시간에 봬요.

상현, 여섯에게 인사하고 가면.

현주, 복희, 계속 놀란 표정이다.

현주　　　어머 나 간 떨어지는 줄 알았다. 세상에… 어쩜….

혜자　　　여기 의사 선생님. 진짜 많이 닮았지?

현주　　　닮은 정도가 아니라 난 준하 씨 살아 돌아온 줄 알았어. 진짜.

복희　　　딱 혜자랑 결혼하고 대상이 애기 때쯤 준하 씨 얼굴이네….

혜자　　　나도 가끔 저 선생님 보면 깜짝깜짝 놀랄 때가 있어.

현주　　　우리 혜자 옛날 생각 진짜 많이 나겠네.

혜자　　　많이 나지 그럼. (아련한)

젊은현주　　(버럭 E) 또 뭔데 이래??

혜자　　　(E) 이 자식이 프로포즈를 안 하잖아!

S# 18   중국집 룸 (N)

현주, 상은, 혜자 쳐다보고 있고,
혜자, 빼갈 원샷한다.

혜자   키스한 지 오늘로 딱 1년째 되는 날이거든. 어쩜 이렇게 응용력, 창의력이
        꽝이냐? 그냥 줄창 아주 키스만 해대는데… 우라질….

현주   이젠 또 프로포즈냐?

혜자   그러다가 내가 지 못 기다리고 딴 놈한테 시집이라도 가면 어쩌려고 그
        래? 잡힌 고기다 이거지? 아주 긴장감이 없어. 긴장 좀 타게 해줘? 내가?

상은   좀 더 기다려봐. 언젠간 하겠지.

혜자   언젠가가 언젠데?

상은   응? 그게….

혜자   나 환갑 기념으로? 자기주도적 학습이 안 되는 놈한테는 주입식 지도 밖
        에 답이 없어. 오늘부터 프로포즈 받기 대작전 실행이다.

현주   어떻게 너는 레파토리는 다른데 진행방식은 이렇게 한결같냐?

상은   어떻게 프로포즈 받으려고?

혜자   키스고 프로포즈고 다 분위기거든. 분위기만 만들어주면 다 하게 돼 있어.
        그래서 그 분위기 만들려고 1박 2일로 여행 갈 거야.

현주   니네 집에서 퍽이나 보내주겠다.

혜자   왜 안 보내줘? 너랑 여행 가는데.

현주   누구? 나?

혜자   응. 우리 집에 가서 나랑 여행 간다고 얘기 좀 해줘.

현주   나보고 뻥치라고?

혜자   친구 위해서 그것도 못 해줘?

현주   나중에 너 같은 딸 낳을까 봐 무섭다.

상은   영수 오빠랑?

| 현주 | 이게 확! 재수 없게. |

S# 19   영수 방 (N)

영수, 무선통신 햄〈HAM〉하고 있다.

영수	안녕하세요. 저의 이름은 김영수 오퍼레이터입니다. 마이크 턴잉하겠습
	니다.
남자	(F) 올카피. 진짜 김영수 씨예요? 영광입니다. 다른 오퍼레이터들한테 말
	씀 많이 들었습니다.
영수	카피. 소문이 거기까지 났나요?
남자	카피. 우리 아마추어 햄 분들한테는 스타시죠.
혜자	(E) 엄마 진짜야. 현주랑 1박 2일 여행 갔다 오는 거라니까.
영수	죄송합니다. 신호에 잡음이 있네요.

S# 20   혜자 집 (N)

혜자 엄마에게 사정하고 있다.

혜자	현주랑 둘이 가는데 무슨 일 있겠어? 엄마.
엄마	그럼 말만한 여자애들 둘이서만 가는데 걱정이 안 되니?
혜자	걱정 안 해도 돼. 엄마 나 엄마 딸이야. 현주랑 건전하게 놀다가 정말 건전
	반납할게. 엄마 나 믿지?

그때, 영수 방에서 나온다.

영수	여자들끼리 어딜 가! 엄마 위험해서 안 돼. 세상이 얼마나 흉흉한데 여자끼리 여행을 가 그것도 1박 2일로.
혜자	(휙 노려보면)
영수	혜자 몰라 엄마? 쟤 옛날에 그렇게 자기 믿으라 하고선 엄마 몰래 참고서 값 삥땅치고 그랬던 애야.

S# 21   영수 방 (N)

영수, 무선통신 햄하고 있다.

영수	(노래 부르는) 눈보라가 휘날리는 바람 찬 흥남 부두에……

영수, 마이크 목에 대고 "방~~~" 하면
입에서 뱃고동 소리가 들린다.

영수	뱃고동이 울리니까. 흥남 부두에 앉아 있던 비둘기 만 2천 마리가 하늘로 날아오르는데.

영수, 양 허벅지 사이에 손을 넣고 번갈아 치면.
비둘기 날갯짓 소리 들린다.

영수	다들 떠나는 배를 보며 잘 있어요. 잘 가세요. 그때를 안 놓치고 장사꾼들은 마른오징어를 불에 구워 파는데.

영수, 백남봉 아저씨처럼 마른오징어 불에 굽는 개인기를 펼치는데.
영수 방구석에 씩씩거리며 노려보고 있는 혜자.

혜자	라디오에서 그게 보이냐? 붑…
영수	라니오 아니고 햄이라고! (바로 목소리 가다듬고) 오늘 교신 감사했습니다.
영수	오늘 교신 감사했습니다.
남자	(F) 파이날 감사히 잘 받겠습니다.
영수	파이날 감사합니다.

영수, 무선통신 햄 종료한다.

영수	가지 좀.
혜자	엄마 겨우 설득했는데 거기서 초를 쳐.
영수	그럼 다시 설득해 보든가.
혜자	그게 퍽이나 되겠다.
영수	방법이 없는 건 아니지.
혜자	(혹) 어떻게 하면 되는데?
영수	간단하지. 여행 가고 싶지?
혜자	응.
영수	그럼 나를 데려가.
혜자	뭐? 절대 안 돼.
영수	그럼 너도 못 가는 거지 뭐.
혜자	(끙)
영수	이 오빠가 따라가야 엄마도 안심하지 않겠니?

S# 22   어느 여행지 (D)

영수, 준하랑 어깨동무하고 신나서 걸어가고 있다.
준하, 좀 어색한 듯 영수한테 끌려가고.

혜자, 현주 뒤 따라 걸어간다.

혜자　　　좋댄다 아주.
현주　　　걱정하지 마라 내가 저 인간 맡을게.
혜자　　　기왕이면 어디 낭떠러지 같은데 데리고 가서 확 밀어버려.
현주　　　진짜 밀어.
혜자　　　응 진짜 밀어.

S# 23　　어느 시골집 (D)

시골집, 밖. 민박이라고 쓰여 있고,
영수, 아궁이에 불 지피고 있다.
준하, 옆에서 지켜보는.

준하　　　제가 할게요. 형님.
영수　　　이게 쉬워 보이지? 불 피우는 게 절대 쉬운 게 아니야. 신석기 시대 알지?
　　　　　　그때는 족장만 불을 관리했어. 왜 그만큼 어렵다는 거지.
준하　　　불 죽는데요?
영수　　　여지까지 내 앞에서 죽은 불이 하나도 없어.

영수, 후후 입바람으로 불어넣는데.
바로 불 꺼진다.

준하　　　불 죽었는데요.
영수　　　우리 동네 불이 아니라 그런지 애들이 낯을 좀 가리네.

그때, 현주, 그쪽으로 온다.

현주	잠깐 나 좀 봐.
영수	지금? 지금 안 되는데.
현주	잠깐 보자고.
영수	왜? 여기서 얘기해.
현주	여기서 할 얘기면 잠깐 보자 그러겠냐?
영수	(준하에게) 함부로 불 막 만지고 그러지 마.
준하	네.
현주	참. 혜자 저쪽 냇가에 있던데요.
준하	…

S# 24   어느 냇가 (D)

혜자, 냇가에 있는데, 준하, 온다.

준하	여기서 혼자 뭐해?
혜자	그냥 이뻐서.
준하	그러게 이쁘네.
혜자	나중에 이런데다가 이쁜 집 짓고 살고 싶다.
준하	좋겠다.
혜자	그치? 애들은 막 물에서 물장구치고 나랑… 남편은 흐뭇하게 지켜보고.
준하	…
혜자	애들은 몇 명이 좋을까?
준하	글쎄… 하나는 외롭겠지.
혜자	그럼 하나는 외롭지. 내가 셋은 낳는다. 그럼 뭐 먼저 해야 되나? 집 먼저

지어야 되나? 아니다 땅 먼저 사야겠… 아니다 결혼 먼저 해야지. 맞다 결
혼하려면 결혼 전에…

준하 보는데 준하 없다.
혜자, 보면 준하, 물수제비하고 있다.

준하　　봐봐. 나 물수제비 진짜 잘하지?

혜자　　(씨)

준하　　내가 이번엔 이 강 넘긴다.

준하, 물수제비하고 있고,
혜자, 분하고 억울한데.

준하　　혜자야 너도 해봐.

혜자　　됐어.

준하　　해봐.

혜자　　됐다고.

준하, 반들반들한 돌을 혜자에게 쥐여준다.

준하　　해봐 진짜 재밌어.

혜자, 짜증 나서 휙 돌을 집어 던지는.
돌 그냥 퐁 하고 물에 빠진다.

준하　　그렇게 던지면 안 되지. 자 다시 해봐.

준하, 혜자에게 돌 쥐여주면.

혜자, 눈물이 날 것 같다.

혜자, 확 집어 던지는.

준하   진짜 못 던지네. 다시 해봐.

혜자, 확 던지려는데.

돌이 아니라 반지가 날아간다. 날아가며 햇빛에 반짝!

준하, 놀라 쳐다보고.

준하   안 돼!!

혜자   (심드렁) 왜… 특별히 애정을 준 돌이냐?

준하   저거 반지란 말이야.

혜자   반지?

준하   오늘 너한테 프로포즈하려고 산 반진데.

혜자   뭐?

(Cut to)

준하, 바지 걷고 들어가 반지 찾고 있고,

혜자도 냇가에 들어가 반지 찾고 있다.

혜자, 계속 눈물이 난다.

혜자   줄 거면 그냥 주지 왜 그때 줘서?

준하   그냥 줄 순 없잖아… 프로포즌데… 놀래켜주려고 그랬지.

혜자   (점점 계속 서러워 우는)

준하   (찾느라 우는 혜자 못 보고) 여기쯤 던졌어?

혜자   몰라… (더 서러워진다) 타이밍도 못 맞추고… (울면서) 언제부터 프로포즈

하려고 마음먹었는데….

준하   몇 달 됐지 기회만 보고 있었어.

혜자   (더 서러운) 마음먹었으면 바로 하든가….

준하   많이… 기다렸어 프로포즈?

혜자   (이젠 어깨 들썩일 정도로 우는 바람에 무슨 소린지 잘 안 들림) 눈치란 게 있긴 있
는 놈인데… 선택적 눈치 없는 놈아!!

준하   (혜자가 우니까 다가 가다가 뭔가 밟은) 아! (발밑 보고는) 찾았다!!!

혜자   어디 어디? (어깨 들썩이며) 이쁘다. 기스 났어?

준하   아니 괜찮아.

준하, 혜자, 아직 물 안에 들어가 있다.

준하   (분위기 잡고 한쪽 무릎 꿇고는) 선택적으로 눈치도 없고, 가진 것도 없고…
있는 것보다 없는 게 더 많지만… 그래도 괜찮다면. 나랑 결혼해줄래?

혜자   (어깨가 들썩들썩)

준하, 반지 끼워준다.
혜자, 주섬주섬 주머니에서 시계 박스 꺼내고
준하 손잡더니 그 시계 손목에 채워준다.

준하   이게 뭐야?

혜자   프로포즈용… 니가 안 하면 나라도 하려고 갖고 왔지….

준하   저기… 아직 대답 않았는데. 저랑 결혼해주시겠습니까?

혜자   네.

혜자, 으앙~~~ 하고 울음 터져버린다.
혜자, 소리 내어 엉엉 울기 시작하는.

준하, 우는 혜자를 미소 지으며 꼭 안아주는데

그때, 뛰어오는 영수와 현주.

영수, 입 주변에 잔뜩 립스틱 묻어 있고,

현주도 입 주변에 잔뜩 립스틱 묻어 있다.

영수   왜 왜? 무슨 일이야? 왜 울어?

현주   혜자야 왜?

혜자   (울면서 반지 낀 손가락 돌리며 반지 보여주며) 나 프로포즈 받았어헝.

준하   (둘 보고) 근데 두 분… 얼굴이 왜….

영수   응? 뭐가? 현주야. 우린 가서 하던 얘기마저 할까?

현주   (조신하게) 네 오빠. (간다)

S# 25   빵집 (D)

혜자, 팔짱 끼고 앉아 있고,

맞은편에 영수, 현주, 앉아 있다.

혜자   언제?

현주   우리 여행 갔을 때.

혜자   그럴 시간이 있었어?

영수   시간과 임신이 비례하진 않지.

현주, 입덧하면, 영수, 그거 보더니 같이 입덧하는.

혜자   오빠는 왜. 오빠가 임신했어?

영수   내가 비위가 약해서.

현주	미안해. 나도 니가 먼저 결혼할 줄 알았는데….
혜자	뭐 순서가 중요한 건 아닌데…. (그래도 좀 서운한 표정)
영수	그래. 뭘로 보나 집안의 장남인 오빠가 먼저 해야지. 오빠가 이 서방 양복 한 벌 해주께.
현주	(조용히) 니 양복 할 돈도 없어요.
영수	(바로) 혜자야. 너 모아둔 돈 좀 있음 오빠 좀 빌려줘라.

S# 26   거리 일각 (D)

혜자, 걸어가고 있는데, 손가락에 끼어 있는 반지가 보인다.

사진관.

혜자, 시계를 들고 사진관 앞을 지나가면.

혜자, 지나간 사진관 밖에 이쁜 결혼사진이 보이는데.

혜자와 준하가 결혼한 사진이 걸려 있다.

준하 손목에서 반짝이는 시계.

S# 27   상현 진료실 (D)

상현, 대상과 상담하고 있다.

대상	계속 나빠질 수밖에 없는 건가요?
상현	좋아지시진 않을 거예요.
대상	약은 효과가…?
상현	… 진행을 늦추는 정도라고 보시면 됩니다.

대상	그럼 여기 계속 입원해있을 이유가 있을까요?
상현	보호자분들도 생업 때문에 24시간 환자분을 지켜보시긴 힘드실 겁니다. 지난번처럼 섬망 정도가 심해지면 예기치 못한 사고가 생길 수도 있구요.
대상	…
상현	당부드릴 건 환자분 얘기에 부정은 하지 마시고 다 들어주세요. 환자를 불안하게 하는 건 좋지 않으니까요.
대상	네.
상현	그리고 저희도 신경을 쓰긴 할 텐데 가급적 2층엔 못 가시게 하세요.
대상	2층이요?

S# 28 　2층 시계 할아버지 병실 앞 (N) – 회상

안내등만 켜 있는 어두컴컴한 복도.
상현, 야간진료 보려고 나왔는데.
누군가 문 앞에 서 있다.
상현, 다가가 보면, 혜자다.

상현	어르신. 어르신.
혜자	(부르는 것도 모르고 문을 보고 있는)
상현	(혜자 흔드는) 어르신.
혜자	(정신 드는) 선생님.
상현	왜 여기 계세요?
혜자	(두리번거리는)
상현	병실로 가세요.

상현, 병실로 혜자 데리고 가고.

살짝 열린 병실 문틈으로 자고 있는 시계 할아버지 보인다.

시계 할아버지 손목에 보이는 시계.

S# 29   요양병원 외경 / 혜자 병실 (D)

대상, 병실로 들어가면.

혜자, 주섬주섬 가방에 병실 물건들 챙기고 있다.

대상   뭐해요?

혜자   뭐 하러 비싼 1인실에 있어. 내가 6인실로 옮겨달라고 했다.

대상   그냥 계세요.

혜자   1인실은 보험도 안 된다며. 돈도 돈이고… 혼자 있으니 적적하기도 하고….

대상   (짜증이 올라온다) 6인실 없으니까 그냥 여기 써요.

혜자   방 나오면 바로 옮겨준다 그랬어.

대상, 짜증이 올라오는데 그때 눈에 들어오는 약봉지

점심 약을 안 먹고 그대로 놔뒀다.

대상   (또 안 드셨네… 후우) …약은요?

혜자   아….

대상   (짜증이 확 올라온다) 약 제때 드셔야 된다고 그랬잖아요. 특히나 이 약은 시
         간 맞춰 먹어야 된다구요.

대상, 짜증 섞인 동작으로 약 꺼내서 혜자 손에 쥐여주고,

물 따라서 혜자에게 준다.

혜자, 약 털어 넣고는 일어난다.

대상　　　어디 가시려구요?

혜자　　　(활짝 웃으며) 우리 똥강아지 민수 온다며? 마중 가려고….

혜자, 침대 내려와서 슬리퍼 신는데.
슬리퍼, 양쪽이 헷갈리게 생긴 슬리퍼다.
혜자, 슬리퍼 오른쪽 왼쪽 바꿔 신고 나간다.

대상　　　(그 모습 보며 또 한숨)

S# 30　　병실 밖 (D)

혜자, 밖으로 나오는데.

희원　　　(OFF) 어르신 안녕하세요.

혜자, 처다보면.
희원, 간호사복 입고 카트 끌고 밝게 웃고 있다.

희원　　　(다시 한번) 안녕하세요. 날씨가 좋죠?

혜자　　　(슬금슬금 피하는)

희원　　　어디 불편하세요?

혜자　　　(외면하는)

희원　　　(갸웃하며 가는)

S# 31   노부부 병실 + 밖 (D)

할머니(아내), 누워 있고, 할아버지(남편), 옆에 앉아 있는.
희원, 할머니 발에 링거를 꽂고 있다.
안타깝게 보는 할아버지.

희원   (상냥한) 어르신. 오늘따라 할머니 팔에 혈관 찾기가 힘들어서 그래요. 오
        늘만 발에 맞으실게요. 좋아지시면 그땐 팔에 맞혀드릴 거예요.

남편   고마워요.

희원 나가면,
할아버지, 할머니한테 다가가

남편   아프지? (하다) 잘하고 있어! 여보! 이거 다 맞구, 우리 산책 나가자.

희원, 밖으로 나오는데.
저쪽에서 사무장 병수, 오고 있다.
희원, 병수를 인상 쓰며 쳐다보는데.
병수, 희원의 뒤통수를 때리려는.

희원   아 왜요?

병수   너 내가 병원에선 인상 쓰고 다니지 말랬지?

희원   (억울한) 인상 안 썼어요. 그냥 쳐다본 거예요.

병수   그냥 쳐다봤는데 기분이 이렇게 나쁘다고? 글고 너 뭐 하길래 자꾸 환자
        들이 무섭다고 바꿔 달라고 그래? 내가 웃고 다니라고 그랬지?

희원   웃고 다녀요 이렇게. (웃으면)

희원, 웃는데, 뭔가 <u>으스스</u>하고 무서운.

병수   (헉!) 웃지 마! 무서워 이 씨!

희원   씨.

병수   목욕 시간이니까 빨리 가봐! 오늘 대학생들 목욕봉사 온대니까. 개네 관리도 좀 하고.

희원   네.

S# 32   **목욕탕** (D)

희원, 목욕탕으로 들어갔는데.
대학교 과잠바 입고 있는 남자 뒤로 돌아 있다.

희원   안녕하세요.

희원 소리에 뒤돌아보면, 우현이다.

우현   안녕하세요.

희원   아직 대학생들 안 왔나? 어르신 옷 벗으세요.

우현   네? 저 어르신 아닌데?

희원   (웃으며) 알았어요. 형님. 옷 벗으세요.

희원, 달려들어 옷 자꾸 벗기려고 한다.

우현   저기 저 대학생이거든요. 18학번!

희원   이 형님 개그맨이시네. 벗으세요. (벗기는데)

우현   진짜예요. 과잠도 입었잖아요?

희원   난 하버드 대학도 안 나왔는데 하버드 대학교 과잠 있어요. 벗으세요.

희원, 점점 벗기는.

우현   미치겠네. 진짜 대학생이에요.

희원   알았어 알았어. 놀고먹고 대학생.

희원, 강제로 옷 벗기기 시작하고,

우현, 억지로 옷 잡는.

(Cut to)

우현, 울면서, 욕조에 들어가 앉아 있고.

희원, 솔로 우현 때 밀어주고 있다.

희원   어르신 지우개예요? 밀어도 밀어도 계속 나와.

그때, 과잠 입은 대학생 여자 하나 들어온다.

우현   어? 선배님!

대학생   야! 현이 니가 왜 거기 앉아 있어?

희원   응? (우현 보면)

우현   (울먹) 거봐요. 나 대학생이라 그랬잖아요!

희원   (우현 뒤통수 때리는) 임마 그럼 대학생이라고 더 우기든가? 힘들게.

S# 33 혜자 병실 (D)

유튜브, 개인방송 화면.
민수, 혜자 옆에서 손 흔들고 있다.

민수 안녕하세요 여러분. 낮인데도 많이들 들어오셨네요. 자~ 여러분이 그렇게 궁금해하시던 김혜자 여사님을 뵈러 병실에 왔는데요. (혜자 비추며) 짜잔! 우리 할머니 미인이죠? 예전에 아나운서 지망생일 정도로 목소리도 장난 아니에요. 할머니 그거 해봐.

혜자 (쑥스러운 듯) 뭘 해. (바로) 그래 이 맛이야. 영수야~ 밥 먹어라~

민수 (웃으며) 우리 할머니 진짜 귀여우시죠? 할머니 여기 글 올라오는 거 봐. 다들 할머니 너무 예쁘시다는데?

혜자 (미소 지으며 민수 보고) 밥은? 냉장고에 망고주스 있는데 그거 주까?

대상 (떨떠름한 OFF) 그거… 계속해야 되냐?

민수 (바로 대상 눈치 보고는) 여러분 내일 이 시간에 다시 켤게요. 낼 봐요!

민수, 방송용 카메라 끈다.
현실화면으로 들어온다.

대상 (마땅치 않은 표정으로) 할머니 좀 쉬셔야 돼.

혜자 난 괜찮아. (민수 손 쓰다듬으며) 할미땜에 바쁜데 온 거 아냐?

민수 아냐. 출장 갔다가 할머니 보고 싶어서 공항서 바로 온 거야.

혜자 그놈의 회사는 맨날 출장이야. 사장놈이 아주 못 됐네.

민수 사장 욕하면 안 되지. 할머니 손자가 사장인데.

혜자 (방긋 웃는)

민수 나 할머니한테 줄 거 있는데.

민수, 한쪽에 둔 쇼핑백에서 꽃다발 꺼내고.

혜자 이런 걸 뭐 하러 사. 돈 아깝게. (꽃 살피는)

민수 뭐해?

혜자 요즘은 이런 데다 오만 원권 감싸고 그런다며? 그래서 꽃다발이 아니라 돈다발이라고 부른다던데?

민수 헐~ 우리 김 여사님 어떻게 아셨지?

꽃다발 보면, 진짜 오만 원권으로 감싸져 있다.

민수 우리 김 여사님 이쁜 옷 하나 사 입으시라고….

혜자 느네 엄마나 줘.

민수 엄마 내가 따로 줄게.

혜자 밥 안 먹었지? 애비야. 얘랑 가서 밥 먹어. 너도 아직이잖아.

민수와 대상, 둘 다 좀 어색한 듯 서 있는데

혜자 얼른. 젊었을 때 안 먹음 늙어서 곯아.

민수 (혜자 보고 웃으며) 알았어. 먹게.

S# 34   병실 밖 (D)

대상, 민수, 밖으로 나온다.
둘, 어색한데.

민수 (대상에게 밥 먹자 얘기하려다 마는) 저 회사에 일이 남아서…. 가볼게요.

대상	집에 들러라. 니 엄마 궁금해하더라.
민수	엄마한테 전화할게요.

민수, 꾸벅 인사하고 가면.

대상, 혼자 서서 가는 민수를 계속 보고 있는.

S# 35   병실 복도 (D)

혜자, 운동 삼아 병실 복도를 뒷짐 지고 왔다 갔다 한다.

혜자, 그렇게 운동 겸해서 복도를 걷는데. 좀 소란스러운 소리가 들린다.

혜자, 그 소리를 따라가 보면.

휴게실에서 몸빼할머니, 손자들 재롱에 좋아하고 있다.

큰아들, 며느리에게 눈짓하면.

며느리	할머니 피곤하시겠다. 잠깐 쉬시게 엄마랑 아이스크림 먹으러 가자.
손주들	와!

며느리, 손주들, 가면.

큰아들	(한숨 푹 쉬는)
몸빼	왜 그래? 무슨 일 있어?
큰아들	아니에요.
몸빼	아니긴.
둘째	엄마, 이러다 형 죽겠어요. 형 좀 한번 도와줘요.
몸빼	…
큰아들	엄마, 집 판 거 아직 남아 있죠? 가족들이랑 잘살아 보겠다고 가게는 열긴

열었는데 좀 힘들어서 그래요. 한 번만 도와줘요.

둘째   그래요. 엄마 나도 형이랑 동업한다고 돈 많이 들어갔어요. 형 망하면 나도 망해요.

몸뻬   엄마가 돈이 어딨어… 집 팔아서 너네 다 털어주고 여기 들어왔는데….

둘째   다 준 건 아니잖아요.

몸뻬   (!!) 안 돼! 그건 은숙이 몫이야. 너네만 자식이냐?

큰아들   은숙인…. (하다 말 줄이고)

둘째   은숙이는 이제 돈 필요 없잖아요. 엄마 우리 진짜 죽겠어요.

몸뻬   필요하면 은숙이가 더 필요하지 지금! 너네 대학도 다 보내주고 밭도 팔아서 장가도 다 보내주고 은숙인 니네 대학 보내느라고 공장에서 내내 일만하고 시집갈 때도 암것도 못 해줬어.

큰아들   그 소리 좀 그만 해요. 내가 엄마보고 그렇게 하랬어요? 어차피 엄마 돌아가시면 제사 지내는 것도 난데. 나한테 좀 더 해주는 게 그렇게 아까워요?

둘째   여기 찾아오는 것도 형이랑 나고, 자식 노릇하는 것도 우리잖아요.

몸뻬   개가 자식 노릇 안 하고 싶어서 안 해? 그런 소리 또 할 거면 가!

큰아들, 둘째 아들, 답답한 듯 화난 표정으로 일어나는.

S# 36   몸뻬 병실 (D)

몸뻬, 답답한 듯 땅이 꺼져라 한숨 쉬고 있는데.
쓱 문이 열리면서, 요구르트 두 개 들고 혜자 들어온다.
혜자, 요구르트에 빨대 꽂아 몸뻬 주면.

혜자   자식들이 다 그렇지 뭐. 부모 마음 알면 그게 자식인가?

몸뻬   (훌쩍이는) 그저 돈돈. 내가 병들어 여기 와 있는 건 보이지도 않는지…. 우리 막내 은숙이가 그러면 말이라도 안 해. 걔는 나올 때부터 딸이라고 구박받고 어려서부터 공장 들어가 지 오빠들 학비에 장가까지 보내고… 정작 지 시집갈 때는 빈손으로 갔어요. 그런데도 괜찮아요 엄마 했던 게 걔예요.

혜자   아유 효녀네요. 막내딸이 속이 깊네. 근데 시집을 멀리 갔나 봐요. 딸은 못 본 것 같네.

몸뻬   지금 병원에 있어요. 너무 속이 깊어서 그랬나… 암이래요. 자궁암.

혜자   …

몸뻬   근데 초기라 괜찮대요. 요샌 기술이 좋아서 항암인지 뭔지만 잘 받으면 싹 낫는다네요. 그래도 난 다 내 잘못 같고… 내가 오래 살아서 이런 건가 싶기도 하고…. (울먹울먹)

혜자   (등 쓸어주며) 아닌 거 아시잖아요.

몸뻬   (눈물 훔치며) 그래도 얼마 전에 연락왔어요. 치료 잘 됐다고 조만간 이 에미 보러 온대요. (웃는)

혜자   다행이네요.

S# 37   혜자 집 (D)

대상, 들어오면 정은, 거실에 쪼그리고 앉아
겉절이 할 배추 자르고 있다.

대상   그건 뭐하게?

정은   … (혼잣말처럼) 겉절이…. 병원 반찬도 시원찮고… (혼잣말) 매운 거 드셔도 되나? 어머님 입맛에 맞아야 되는데.

정은, 배추에 고춧가루를 뿌린다.

정은　　　좀 들 맵게 해야겠다.

정은, 다듬은 배추에 고춧가루를 뿌려서 손으로 비비는데.
정은, "아!!!"
미용 일 때문에 갈라진 손에 고춧가루가 들어갔다.
정은, 엄청나게 아픈지
수돗물 틀어놓고 갈라진 손가락을 물로 씻어낸다.
한동안 아무 말도 못 하고 계속 그렇게 서 있는.
그런 정은을 슬픈 눈으로 바라보는 대상.

S# 38　　병원 외경 / 복도 (N)

불이 꺼진 복도.
몸뻬할머니, 병실에서 나온다.
은숙, 복도 쪽에 서 있다.

몸뻬　　　(반갑다) 은숙아. 언제 왔어?

S# 39　　휴게실 (N)

최소한의 불만 켜진 휴게실.
몸뻬할머니, 연신 은숙의 몸을 쓰다듬는다.

몸뻬　　　아유 왜 이렇게 말랐어?
은숙　　　나야 원래 마른 편이었잖아. 엄마야말로 반쪽이 되셨네.

몸빼	아냐 내가 얼마나 잘 먹는데… 아픈 건?
은숙	다 나았어. 괜찮아.
몸빼	진짜 다 나은 거야? 의사 선생님이 다 나았대?
은숙	그럼 그러니까 엄마 보러 왔지.
몸빼	(눈물이 난다) 정말 다행이네. 아까 니 오빠들이 와서는 내 속을 얼마나 뒤집어 놓고 갔는지 몰라. 집 판 돈 내놓으라고. 그거만큼은 너 남겨주려고 쥐고 있는데….
은숙	나 괜찮아. 오빠들 줘요.
몸빼	엄마가 그 말이 아직도 마음이 아파. 맨날 천치처럼 난 괜찮다, 오빠들이 좋으면 나도 좋다… 그래서 결국 뭐야 지금. 너만 아프고. 그런다고 니 오빠들이 뭐 돈 한 푼 보태주디? 염치도 없는 놈들….
은숙	(미소) 나 진짜 괜찮다니까….
몸빼	너는 뭐가 그렇게 매번 괜찮대? 엄마가 괜찮지가 않은데. 엄마가 너 해주고 싶다잖아. 평생을 못 해줘서! 한이 맺혀서! 이제 아픈 거 다 털고 엄마가 주는 돈으로 먹고 싶은 거 먹고, 입고 싶은 거 입고, 김 서방이랑 여행도 가고 해. 알았지 우리 딸…. (은숙 쓰다듬는데)
은숙	(웃기만 하는)
몸빼	참 엄마가 너 주려고 챙겨놓은 게 있는데… 갖고 갈 수 있겠어?

몸빼, 물건들 꺼내는데. 옷, 그릇, 영양제 등 각종 물건들 꺼내는데.
'차은숙'이라고 적힌 물건들이다.

은숙	(밝게 웃는데)
몸빼	(뭔가 느꼈다) 은숙아… 미안해…. 미안한데… 다음에도 엄마 딸로 태어나주면 안 돼? 그때는 엄마가 한번 해봤으니까 정말… 정말… 잘해줄 수 있을 거야…. 꼭 그래줄 수 있지?
은숙	(눈물 흘리며 고개 끄덕이는)

몸빼, 서럽게 울기 시작하는데.
보면, 몸빼 앞에 아무도 없다.

S# 40 정은 방 (N)

정은, 방으로 들어온다.
정은, 옷장 서랍을 열면, 양말들이 보인다.
수면 양말 꺼내서 자기 발에 신는데.

정은   아! 어머니 발 차신데 양말 챙겼나?

정은, 고민하다가 새 수면 양말을 꺼내 일어난다.

S# 41 혜자 병실 (N)

혜자, 자고 있는데, 정은, 바리바리 싸 들고 들어왔다.
조용하게 음식들을 냉장고에 넣는다.

혜자   (깨는) 왔니? 피곤할 텐데 내일 오지….
정은   깨셨네… 어머님 좋아하는 겉절이랑 장조림 좀 해왔어요. 병원 반찬 잘
              못 드시잖아요?
혜자   이제 맛도 잘 모르는데 뭐.
정은   (혜자 발을 만져본다) 아우 차가워.

정은, 수면 양말 신겨드리고는 주무르기 시작.

혜자, 정은의 손을 본다.

여기저기 갈라지고, 염색약으로 검게 물들어 있는 정은의 손.

혜자	(물끄러미 보다가) 그만해도 된다.
정은	아직 뻣뻣해요. 어머님이 워낙 옛날부터 손발이 차셔서….
혜자	그만해도 돼. (발 빼는)
정은	(올려다보면)
혜자	우리 며느리 참 열심히도 살았다.
정은	…
혜자	내가 무슨 복에 이런 며느리를 얻었을까….
정은	(괜히) 에이… 남들이 들으면 욕해요. 제가 무슨….
혜자	할 만큼 했어. 아니 넘치게 했어. 이제 놓고 편히 살아.
정은	(무슨 얘긴가 해서 혜자를 보는데)
혜자	이제 내가 살면 얼마나 살겠니. 옹색한 집안에, 다리 불편한 남편에… 너 빠듯하게 사는 거 알면서 나 사는 거 바빠서 못 본 척 지냈다. 그래도 내 자식 탓하긴 싫어서 친정도 없는 널 혼자 뒀어. 니가 그 낡은 미용실 한쪽에서 시름시름 늙어가는 걸 보면서도…. 그래 다 내 욕심이었어. 미안하다.
정은	(눈물 나는) … 아니에요 어머니….
혜자	(정은 손잡고) 넌 이제 니 생각만 하고 살아. 그래도 돼. 남편도 자식도 훌훌 벗고 너로 살아. 그래야 내가 날 용서하고 갈 수 있을 것 같다.
정은	(우는데)
혜자	(우는 정은을 따뜻하게 쓰다듬으며) 정은이… 우리 착한 며느리…
정은	(이름을 부르는 소리에 더 서럽게 우는데)
혜자	나는 니가 무슨 결정을 하든… 늘 니 편이다.
정은	(서럽게 우는)

S# 42 혜자 집 거실 (N)

많이 운 듯 푸석한 얼굴의 정은, 빈 그릇을 갖고 돌아왔다.
빈 그릇 싱크대에 넣고 돌아서는데.
식탁에 노란색 봉투가 보인다.
정은, 봉투 열면, 이혼서류다.
기존 정은이 채웠던 칸 옆이 대상의 필적으로 메워져 있고. 도장도 찍힌.

S# 43 안방 (N)

정은, 이혼서류 들고 들어가면
대상, 출근 준비하고 있다.

정은	(서류 든 채) 이거 뭐예요?
대상	(서류를 보더니 별말이 없다) ….
정은	(서류봉투 째 내던지며) 이혼하자고?!
대상	… 당신 할 만큼 했어.
정은	그래서? 어머니 치매 오셔서 저러고 계시니까 어머니도 내팽개치고 당신도 버리고 나만 편히 살라고? 나만 나쁜 년 소리 들으면서? 그게 평생 당신이랑 산 사람한테 할 소리야?
대상	(힘들다) … 그럼 내가 어떻게 해줄까? 어머니는 그렇다 쳐도 당장 난 죽을 수도 없는데….
정은	(O.L) 당신 나쁜 사람이야!! 아주 지독하게 나빠! 내가 당신 버릴 거였음 수백 번 쌌던 짐 풀면서 이러고 안 살았어. 다리보다 마음이 더 망가진 평생 타인 같은 사람한테 기대했다가 실망하기를 밥 먹듯이 했어도…. 그랬어도… 모로 누운 당신 등만 봐도 콧등 시큰해지게… 그렇게는 안 살았을

거야.

대상   (몰랐던 정은의 진심에 감동하는데)

정은   꼭 당신 아니라도 난 이혼 못해. 어머님 살아계시는 동안 내가 겉절이 해

        드려야 되고 반찬도 해다 나를 거야. 그러니까…. 나한테 이래라 저래라

        하지 마!

정은, 이혼서류 봉투 집어서 쓰레기통에 처박고.

대상, 물끄러미 쓰레기통을 보다가 밖으로 나가고.

S# 44   동네 외경 / 거리 일각 (D)

미용실에 금일 휴업이라고 쓰고 가는 정은.

정은, 붕어빵 포장마차 앞을 지나간다.

정은, 가는 길 멈추고 붕어빵을 본다.

S# 45   미용실 (D)

젊은 정은, 어쩔 줄 몰라 하며 얼굴 빨개져서 연신 고개 숙여 사과하고 있다.

정은 앞에 여자, 자기 머리 만지며 열 내면서 다다다 거리는.

혜자, 대신 나와서 웃으며 사과하는.

(Cut to)

정은, 수건 정리하며 눈물을 뚝뚝 흘리는데.

혜자, 미용실로 들어온다.

정은, 얼른 눈물을 닦는데.

혜자, 품에서 붕어빵을 꺼낸다.

혜자	(웃으며) 벌써 붕어빵 나왔더라.
정은	어머님 드세요. 전 정리 마저 해야 해서.
혜자	먹어봐. (정은 입에 넣어주는) 이건 팥 아니야. 이건 슈크림인가 뭔가가 들었대. 정은이 너처럼 팥 싫어하는 사람들이 많은가 봐.
정은	(우물우물 돌 씹는 것처럼 먹는데)
혜자	(피식 웃는)
정은	(보면)
혜자	내가 얘기했었나? 손님이 5cm로 잘라 달라는 걸 5mm 남기고 박박 밀었던 얘기.
정은	아뇨.
혜자	미용실 막 시작했을 땐가… 어떤 남자가 와서 5cm로 잘라 달라대? 근데 깜빡한 거지. 덩치는 산 만하고 시커멓고 커다란 남자가 두 눈에 눈물이 그렁그렁해서 날 이렇게 쏴 보는데….
정은	(풋 웃는)
혜자	근데 절대 미안하다 안 했어. 분명 5mm라고 해놓고 뭔소리냐고 박박 우겼지.
정은	무섭지 않으셨어요?
혜자	그땐 돈이 젤 무서웠어. 배로 물어달라고 하면 어떡해.
정은	(피식 웃는)

S# 46   혜자 병실 (D)

혜자, 앉아 있는데,
병실 문 열리고 밝게 정은, 들어온다.

정은	저 왔어요. 동네에 어머니 좋아하시는 붕어빵 있잖아요. 거기 장사 시작했어요.

정은, 붕어빵 봉지에서 붕어빵 꺼내서 혜자에게 내미는데.

혜자	(붕어빵 받아 들다 정은 손을 유심히 본다) 미용일 하시나 봐요?
정은	(떠덩) … 네?
혜자	장갑도 못 낄 정도로 많이 바빴나보다. 그거 갈라지기 전에 관리해야 돼요.
정은	(놀라서 입도 못 떼고 혜자를 보고 있는데)
혜자	많이 아팠겠다. 물만 닿아도 쓰리죠? 그럴 때는 약국에 바세린이라고 팔아요. 요만한 통에 든 거… 그거를 듬뿍 바르고 비닐봉지를 손에 끼고 자요. 그럼 좀 나아져. (미소)
정은	(울음 나오는 거 억지로 밀어 넣으며) 네 그럴게요.
혜자	나도 미용일 해봐서 알아요. 사거리 세탁소 앞에 행복미용실이라고… 그게 내가 하는 미용실이에요.
정은	(겨우겨우 참는데)
혜자	(붕어빵 먹는) 이 붕어빵 진짜 맛있다… (붕어빵 내미는) 좀 들어 봐요. (방긋 웃는데)

S# 47　병실 복도 (N)

혼자 나와서 우는 정은의 모습. (MUTE 상태)
그런 정은 모습을 점점 멀어지며 잡는 카메라.

S# 48　　요양병원 외경 / 복도 (N)

혜자, 복도로 나온다.
조용하게 복도를 지나, 어느 방 앞에서 멈춰 선다.
그리고 문을 쓱 열고 들어간다.

S# 49　　시계 할아버지 병실 (N)

시계 할아버지 누워 있다.
혜자, 그 할아버지 침대 옆에 선다.
매서운 눈빛으로 할아버지를 내려다보고 있는 혜자.
할아버지 팔목에 차고 있는 시계 보이는 데서.

Episode 12

S# 1 다른 병실 안 (N)

11화 엔딩에 이어서.
불 꺼진 방안에서 병상에 잠든 시계 할아버지를 무서운 얼굴로 내려다보고 있는 혜자.
그 뒤로 열리는 병실 문 사이로 새어 들어오는 빛.

S# 2 거리 전경 (N → D) / 요양병원 로비 (D)

혜자, 앞 씬의 얼굴과 전혀 다른 미소 띤 얼굴로 할머니들과 얘기를 나누고 있다.
그런 혜자의 모습을 조금 떨어진 곳에서 물끄러미 보고 있는 대상.

상현   (E) 그게… 간밤에 소동이 좀 있었습니다.

S# 3 진료실 (D) - 회상

상현과 마주 앉아 얘기를 나누는 대상.

대상   (의아) 시계를요?
상현   (끄덕끄덕) 네. 사실 몇 달 전에도 그 시계 때문에 일이 한 번 있긴 했는데….
대상   ……
상현   가끔 환자분들 증상이 폭력적인 형태로 나타나기도 하지만, 환자분 평소
          모습은 그렇진 않으셔서…. 혹시 환자분에게 시계 관련된 트라우마나
          뭐… 특정적인 기억이 있으실까요?
대상   … 글쎄요….

S# 4　　요양병원 로비 (D)

노인들과 얘기를 나누고 있는 혜자는 전혀 아무 문제가 없어 보이고.
대상, 혜자 쪽으로 다가가고.

혜자　　(알아보고) 어 왔니? 일은?
대상　　오늘은 밤 근무예요.
혜자　　그래… 힘들겠네….

다시 대화가 없는 혜자와 대상.
대상, 혜자의 마른 손을 그저 물끄러미 보기만 한다.

대상　　(그런 혜자를 보며 Na) 어머니는 알츠하이머를 앓고 있습니다.

대상의 복잡해 보이는 표정에서 회상으로.

어린대상　　(넘어진 듯 E) 아!

S# 5　　골목길 (D) - 회상

길바닥에 쓰러진 4살짜리 대상(의족 보이게). 넘어진 것에 놀란 듯 울상이고.
골목을 지나던 사람들, 그런 대상을 계속 보며 스쳐지나가고.
어린 대상, 부끄러운 마음에 일어나려 힘을 줘보는데 안 되고
그때 지나가던 누군가 대상을 일으켜주려 손을 내미는데

혜자　　(OFF) 냅두세요. 혼자 일어나게.

286

대상 그 소리에 올려다보는데 대상 앞에 서 있는 젊은 혜자.

질끈 묶은 머리에 피곤해 보이는 안색의 혜자.

무뚝뚝한 얼굴로 대상 앞에 선 채 쳐다만 보고 있는.

혜자   (차갑게) 일어나. 혼자 일어날 수 있잖아.

대상   엄마…. (손 앞으로 내미는데)

혜자   혼자 일어나는 것도 못 하면 앞으로 어떻게 살래. 일어나.

대상, 끙끙 힘주다가 결국 울음 터트리고 그 자리에 있는데

혜자, 일으켜주지 않고 앞서 가버린다.

대상   (누운 채 울며) 엄마아!! 엄마아아~

혜자, 한번 되돌아보지 않고 가버린다.

바닥에 누운 채 혜자를 향해 손을 뻗고 계속 우는 대상.

S# 6   요양병원 로비 (D)

대상의 거친 손과 주름진 혜자의 손이 번갈아 보이고.

혜자   이번 달부터 새로 왔는지 보조사 아줌마가 아주 성실한 거 같드라구….

대상   (의아하고) 누구요?

혜자   넌 못 봤나? 동글동글하니 사람 좋게 생긴… 미용일 했다던가? 어제는 내
         머리를 다듬어줬는데 웬만큼 해.

대상   누구 얘길… (하다 생각난 듯!!)

S# 7 요양병원 일각 (D)

휠체어에 탄 부인을 태우고 지나가는 노부부의 모습 보이고
심란한 표정의 대상, 상현을 만나서 애기 중이고.

대상   … 아무래도 우리 집사람을… 기억 못하시는 것 같습니다.

상현   (좀 놀란) 그래요? 아드님은 알아보시던가요?

대상   네 저는 아직….

상현   (고민하다가) 앞으로 더 잊게 되실 겁니다. 그렇다 해도 가능한 한 다 맞춰
　　　　 드리세요. 감정적으로 동요하게 하는 건 환자분께 더 안 좋으니까요.

S# 8 미용실 안 (N)

불 꺼진 미용실로 들어와 불을 켜는 대상.
미용실에 있을 정은이 없자 의아해하는 표정으로 미용실을 둘러보는데
그때 문 열리며 정은, 양손에 장 봐온 것들 들고 들어오고.

정은   어 왔어? 어머님은 주무시고? (짐 일단 내려놓고)

대상   그게 다 뭐야?

정은   제수…. 아버님 기제사 얼마 안 남았잖아. 미리미리 시간 있을 때 사다 날
　　　　 라야 병원 갈 시간이 나지.

대상   … 하게? … 엄마도 저러신데….

정은   어머님이랑 기제사가 무슨 상관이야. 제사 넘겨받은 지 한두 해도 아닌
　　　　 데…. 내가 알아서 할게. (짐 다시 들고 집 안으로 들어가고)

대상, 정은을 무기력하게 보다가 미용실 소파 쪽에 앉고.

그러고는 다리 쪽에 통증이 있는 듯 의족을 벗어낸다.
마치 남의 다리인 듯 한쪽에 놓여진 의족을 물끄러미 보는…

S# 9 　　골목 (D) - 회상

네 살짜리 대상(반바지), 그 또래의 친구와 바람이 빠지고 낡은 축구공을 차고 노는데
그때 저쪽에서 올라오는 남자.

남자　　(아들 부르는) 상용아~

친구　　어? 아빠!! (공 두고 뛰어간다)

남자, 친구를 번쩍 들어서 목마를 태우고는 웃으며 집 쪽으로 가버리고
골목에 덩그러니 남은 대상과 낡은 축구공.
대상, 그 친구와 아버지의 모습을 물끄러미 보다가
부아가 나는 듯 축구공을 뻥 차버리는데
좀 멀리 굴러가자 어린 대상, 축구공을 따라 뛰어간다.
마침 대상을 데리러 나온 젊은 혜자.
대상이 뛰어가는 모습을 본다.
그때 골목 끄트머리에서 튀어나오는 택시
자신에게 달려드는 택시를 보는 어린 대상.
그 모습을 놀란 눈으로 지켜보는 혜자.

S# 10 　　다른 골목 또는 학교 앞 (D) - 회상

하굣길, 가방을 메고 절뚝이며 빠른 걸음으로 걸어가는 대상.

그 뒤를 같은 초등학생들이 따라오며 놀려대는 모습.

학생들   (일동) 야 절름발이!! 쩔뚝이!!/ 야 니 다리 로봇 다리면 너도 로봇 태권브
                이처럼 싸움 잘하냐?/ 야 붙어보자 한번!!

어린 대상, 더욱 빠른 걸음으로 걸어가고.
그러다 다리가 아픈 듯 얼굴이 일그러지고.

S# 11   허름한 옛날 미용실 외경 / 미용실 (D) - 회상

땀에 젖은 대상, 미용실 문을 여는데
혜자, 손님들 머리 해주느라 바쁘고.
대상, 미용실로 들어와 바로 집으로 안 가고 뭔가 얘기하고 싶은 듯 주저주저.
하지만 혜자는 손님들 상대하느라 바빠 보이고.
대상, 어깨 축 처져서 미용실 안쪽 집안으로 향하고.

S# 12   미용실에 딸린 방 (D) - 회상

이불을 말아 감고 누워 있는 2학년 대상.
한쪽에 의족 보이고

혜자   (수건으로 얼굴 닦으며) 일어나. 여덟 신데 밥 먹고 학교 가야지.
대상   … 아파. 오늘 학교 못 가.
혜자   가. 아파도 학교 가서 아파.
대상   (원망스럽게 혜자를 보는데)

혜자	(대상이 감고 있던 이불을 뺏어 내서 이부자리 정리하고 의족 들며) 지각하면 또 화장실 청소당번 된다 너.
대상	… 오늘 운동회라고.
혜자	(보는) 그래서…?
대상	……
혜자	그래서 창피해서 못 간다고?
대상	……
혜자	그럼 평생 숨어 살어. 평생 학교도 가지 말고 밖에도 나가지마.
대상	(서러운 듯 눈가가 촉촉해지는데)
손님	(OFF) 애기엄마~
혜자	(상냥하게) 네~ 나가요. (나가버리고)

어린 대상, 혼자 남아 서러운 듯 훌쩍훌쩍.
그러다 곧 받아주는 이가 없자 혼자 울음 그치고. 손등으로 눈 문지르고.

S# 13   미용실 (D) - 회상

혜자, 화려한 외모의 손님으로부터 보따리를 건네받고.

혜자	고마워요 매번….
손님	뭘… 우리 애들 커서 안 맞는 거 주는 건데… 그래도 구제 옷들 보단 낫지 않나? 그건 누구 옷인지도 몰라서 찜찜하잖아.
혜자	아우 말해 뭐해. 오늘도 고데 하시게?

그때 천천히 집 안에서 나오는 어린 대상.
대상, 못내 무거운 발걸음으로 가면서도 혜자 표정을 살피는데

혜자는 난로에 고데기 달구느라 대상을 쳐다보지도 않고.

대상, 그냥 나가려다 문을 연 채로 잠깐 멈춤.

대상　　　(울음 끝이 남은 채 쥐꼬리만 한 목소리로) … 다녀오겠습니다.

그리고 닫히는 문.

S# 14　　초등학교 뒤쪽 공터 (D) – 회상

학교 뒤편 인적이 없는 공터에서 대상과 한 덩치 큰 아이, 싸움이 났고.

주변에 몇 명 아이들, 둥그렇게 둘러싸고 싸움 구경 중.

남자애　　　(머리 감싸 쥐고 물러서며) 아!!! (머리에서 피가 난다)

한쪽에 비틀대며 서 있는 5학년 대상, 한 손에 피가 묻은 돌멩이를 들고 있다.

마른 몸매의 대상, 씩씩대며 남자애들을 노려보고 있고.

대상　　　(Na) 그 이후로 아이들은 날 놀리지 않았고 곁에 오지도 않았습니다.

주변에서 구경하던 아이들, 대상이 두려운 듯, 한 발짝 물러서는.

대상　　　(Na) 집에서도 밖에서도…. 난 철저히 혼자였습니다.

S# 15   미용실 외경 / 방안 (N) – 회상

초라한 밥상을 앞에 두고 있는 대상.
그때 혜자, 상에 어묵 김치찌개를 냄비째 내려놓고.

대상   (수저로 휘휘 저어보더니) … 또 어묵이야.

혜자   먹기 싫음 먹지 마.

대상   … 돼지고기 좀 넣으면 안 돼? 다른 집은 다 김치찌개에 돼지…

혜자   (O.L) 그럼 그 집 가서 살아. 안 말려. (밥 먹는데)

대상   (수저가 멈췄다) … 내가 싫지?

혜자   (대답 없이 밥만 먹는다)

대상   (목소리가 살짝 떨리고) … 엄만… 내가 귀찮지?

혜자   … 안 먹으면 치운다.

대상   … 엄만… 내가 확 죽었으면 좋겠지?

혜자   …

대상   (눈물 그렁그렁한 채 혜자 보며) … 엄만 내가 불쌍하지도 않아?

혜자   (여전히 밥 먹으며) 불쌍이 밥 먹여줘? 돈 줘? 그럼 불쌍하다 해줄게.

대상   (눈물이 고여서 혜자를 노려보는데)

혜자   (대상을 쳐다보지도 않고 그릇을 들고 일어나며) 다 먹고 설거지해놔.

대상, 눈물이 그렁그렁해서는 나가는 혜자를 끝까지 노려본다.
그리곤 눈을 질끈 감아 눈물을 떨어뜨려 버리고는
다시 밥을 입에 꾸역꾸역 쑤셔 넣는다.

대상   (Na) 다친 다리 때문인 건지… 엄마에 대한 원망 때문인 건지… 그 후로
            도 나의 사춘기는 유난히도 길고 질겼습니다.

[FLASH BACK]

6화 S# 46

대상의 다리를 붙잡고 미안하다 울던 혜자 모습으로 넘어오고.

혜자　　(다리 붙잡은 채 울며) 미안해… 미안해 아빠…. 다 나 때문이야… 미안해…

　　　　　미안해…. (소리도 못 내고 운다)

대상　　(눈물 어린 눈으로 그런 혜자를 물끄러미 본다)

(E) 휴대폰 알람 소리

S# 16　　혜자 집 거실 (N)

소파에 기대앉아 있다 잠깐 잠이 들었던 듯 놀라서 깨는 대상.

소파 한쪽에 둔 휴대폰에서 10시 정각을 알리는 알람이 울리고 있고.

대상, 알람을 끄는 손.

S# 17　　미용실 (N)

대상, 출근하러 나가는데 미용실 의자에 앉은 채 잠든 정은.

정은 앞에 놓인 다듬다 만 고사리.

대상, 안쓰럽게 보다가 나가려는데 정은, 잠에서 깨고.

정은　　아 오늘 야간 근무랬지.

대상　　들어가서 자. 날 추운데.

정은　　(하품하며 일어나서) … 내일은 어머니한테 내가 갈 테니까 좀 쉬어요.

대상	괜찮아.
정은	괜찮긴… 날 추우면 당신 힘들잖아.
대상	(주저하다가) … 엄마가 당신을 못 알아봐.
정은	… 알아요.
대상	(놀란) 알아?…
정은	(애써 아무렇지 않은 척) 그럼 어때. 내가 알아보면 되지. 다녀와요.

S# 18   경비실 안 (N)

주위는 깜깜한데 플래시 하나 들고 주변 순찰하고 돌아온 대상.
의자에 앉으며 모자를 벗어 옆에 있는 의자에 두는데

[FLASH BACK]
4화 S# 55
도시락 들고 와있던 혜자

대상	어쩐 일이야 여긴?
혜자	도시락.
대상	이따 먹을게.
혜자	또 멸치만 안 먹을려고 그러지. 그거 먹는 거 보기 전까진 집에 안 갈 거니까 알아서 해. (자리 잡고 앉는데)

4화 S# 56

혜자	(고민하다) 엄만데요! 왜요! 이 경비 아저씨 엄마!! 이 사람이 이거 팔아서 집에 10원 한 장이라도 들고 오면 내가 대신 수갑 찰게. 총각은 총각 엄마 앞에서 총각 그렇게 혼내면 기분이 좋겠어요? 좋겠냐구요.

대상, 착잡한 듯 다시 자리에서 일어나 경비실을 나가버리는.

S# 19   거리 전경 / 혜자 병실 (D)

쓰레기통을 비워 들고 들어오는 정은.
그런 정은을 물끄러미 보고 있는 혜자.

정은   (혜자 보고 웃으며) 왜요? 나무꾼은 안 보이는데 웬 선녀가 하셨나?

혜자   (미소) 몇 살이에요?

정은   (좀 착잡한) 저요? 몇 살 같아 보이시는데요? (보호자 침대에 걸터앉고)

혜자   (웃다가) 이런 일 힘들죠? 까탈스런 노인네들도 많고.

정은   … 괜찮아요. 다 아버지 어머니 같으신 분들이라….

혜자   부모님은….

정은   애저녁에 돌아가셨죠. 한 분은 평생 술술 하시다가 술 잡숫고 건너오던
        강에 빠져 돌아가셨고 한 분은 평생 당뇨로 고생하시다가…

혜자   (정은 손 당겨 잡아주며) 말해 뭐해…. (안쓰럽게 보는)

정은   그래도 다행히 시댁 복은 있었어요.

혜자   무슨… 시댁이 그쪽 복으로 살았겠구만. 이 손을 보면 알지.

정은   (순간 울컥) … 저… 진짜 모르시겠어요?

혜자   (그 말에 정은 얼굴을 가만히 본다)

정은   (혹시나 하는 기대에 혜자를 보는데)

혜자   … 언제 머리 하러 오셨었나?…

정은   (서운함보다 안타까움이 더 크다. 그냥 혜자를 바라보고만 있는)

그때 떼꾼한 얼굴로 병실에 들어오는 대상.

혜자   (정은에게 소개) 우리 아들. 처음 보죠? 이 분이 내가 말한 보조사 아줌마.

정은과 대상, 둘 사이에 표정 오가는.

S# 20   요양병원 로비 (D)

혜자(돋보기), 요양병원의 프로그램 중 조각 맞추기에 참석 중이고.
혜자를 비롯한 여러 노인들이 같이 앉아서 하고 있다.
노부부 할아버지, 미동 없는 할머니지만 손에 쥐여주고 웃으며 같이 하고 있고
혜자 옆에 앉은 대상, 혜자가 하는 걸 도와주는데 혜자, 주저한다.

대상   (옆에 그림 가리키며) 여기 그림 보고서 찬찬히 해보세요.

혜자   (끄덕끄덕. 하지만 손은 여전히 뭘 짚어야 하나 주저하고)

대상   (보다 못해 하나 집어주며) 이거 먼저 맞추시고.

혜자   (그걸 받아 들고도 어디에 둘지 고민하는 표정)

대상   (답답) 여기 이거랑 같은 거잖아요. 그죠? 그럼 이걸 어디다 둬야겠어요?

혜자   (대답 못하고 주저하는)

대상   (자기도 모르게 살짝 버럭) 방금 전에 한 거잖아요. 왜 그걸…. (겨우 참는)

혜자   (화내는 대상을 물끄러미 보는)

대상, 결국 자리 뜨면
걸어가는 대상 너머로 보이는 정은의 모습
정은을 바라보는 혜자의 표정 위로

혜자   (Na) 보조사 아줌마… 박복했고… 미용일 했다던…. 혹시… 내 며느리…?

불안해지는 혜자의 표정이 슬프다.

S# 21   혜자 집 거실 (D)

속이 상한 듯 바닥에 앉아 깡소주를 마시는 대상.
혜자의 상태도 속상하고 그런 혜자에게 화를 낸 스스로가 원망스럽기만 하다.

대상   (OFF) … 혹시 말씀하신 그 시계의 기억이 돌아오면 도움이 될까요?

S# 22   혜자 방 (D)

비어있는 혜자 방으로 들어오는 대상.
다시는 안 돌아올 사람처럼 가지런히 정리해놓은 게 더 마음에 안 들고.

상현   (OFF) 그 시계의 기억이 환자분에게 어떤 영향을 줄지 장담은 할 수 없지
        만 활용해 볼 만은 하다고 봅니다.

대상, 이리저리 뒤져보는데 거기서 오래된 가계부가 나오고.
거기 사이에 끼워져 있는 노란색 월급봉투들.
앞면에 '서울신문 이준하'라고 적혀 있다.

S# 23   서울신문사 앞 (N) - 회상

신문사 앞의 혜자, 기다리고 서 있고.

그때 저 멀리서 준하가 나오는 게 보이자 일단 숨는 혜자.

준하가 앞쪽으로 걸어 나오자 혜자 확 튀어나오고.

혜자　　(놀라게 하며) 웤!!!

준하　　(난감한 표정으로 웃는데)

보면 준하 뒤로 동료기자들 둘 더 있고.

혜자　　(민망해서 바로 인사) 안녕하세요오….

기자1　　(장난) 이 바닥 봐라. 아주 토도독 깨밭이다. 아이구 결혼 안 한 총각은 서러워서 살겠어 어디.

기자2　　신혼이잖냐. 저러는 것도 2년이다. 봐줘.

준하　　(머쓱해서 웃는데)

기자1　　제수씨 자꾸 오지 마요. 질투 나요. 나 질투 나면 준하 집에 안 보내는 수가 있습니다.

혜자　　(웃으며) 네 적당히 하겠습다~

준하　　(기자들에게) 들어가세요. 내일 뵐게요.

동료기자들, 인사하고 가자 준하, 주머니에서 노란 월급봉투 꺼내 보여주고.

혜자　　(준하 엉덩이 툭툭) 아이구 우리 서방님 한 달 동안 수고 많으셨어요오~

준하　　(주변 보며) 적당히 한다며….

혜자　　왜? 내가 남의 궁뎅이 만졌나? 우리 남편껀데?

준하　　뭐 먹을까? 장인어른 장모님 모시고 좋은데 좀 갈까?

혜자　　(팔짱 끼고) 다 내가 생각해놓은 곳이 있어. 따라오기나 해.

준하　　(좀 걱정) 얼마나 비싼데? 마음의 준비라도 하게….

S# 24   포장마차 (N) - 회상

우동 먹고 있는 준하와 혜자.

준하   맛있는 거 먹으라니까….
혜자   난 이게 제일 맛있드라. (너스레) 이야 월급날이니까 이 곱빼기 먹는 거지
         평소에 손 떨려서 먹겠어 어디?
준하   (웃으며) 취향 참….
혜자   (O.L) 고급이지? 하긴 그러니까 요런 남편을 골랐지.
준하   그건 인정.

주인, 시계 보고는 가게 정리하며

주인   다 먹어가요? 좀 있음 통금인데?
혜자   (놀라) 그래요? (우동 욱여넣고)
준하   (같이 우동 욱여넣고)

S# 25   길거리 (N) - 회상

밤거리 뛰어가는 혜자와 준하.
준하, 가다가 지친 듯 멈춰서서 쉬는데
혜자, 혼자 앞서가다가 돌아보더니 다시 와서는 준하 손잡고.

혜자   내 취향이 참 손이 많이 가요. 그죠?
준하   (피식) 고맙네 그래도. 안 버리고 가줘서.

둘, 손잡고 걸어가는데 울리기 시작하는 통금 사이렌.

그 소리에 둘이 손잡고 뛰어가는.

가다가 준하가 아예 혜자를 번쩍 들어서 어깨에 둘러메고 뛰어가고.

S# 26   혜자준하집 거실 (D) – 회상

한껏 들뜬 얼굴로 서 있는 혜자와

넥타이 매다가 얼떨떨한 표정으로 멈춰 서 있는 준하.

혜자	(준하 표정 보고) 표정… 뭐지?
준하	… 응?
혜자	응? 으응? 뭐야 축하야 그게?
준하	아… 축하해.
혜자	뭘 축하해야. 우리 애가 생긴 거라고.
준하	… 그럼… 고마워… 라고 해야 되나?
혜자	(황당) 뭐야…

S# 27   중국집 (D) – 회상

혜자, 뾰로통한 얼굴로 상은과 만나고 있고.

현주, 등에 애기 업은 채 음식을 계속 혜자 앞에 놔주고.

상은	(음식 받아놓으며) 야야 아직 배도 안 나온 애 이거 먹고 만삭 되겠다 야.
현주	야 그릇이 커서 그렇지 얼마 안 돼. 야 혜자야 얼른 먹어. 좀 있다 팔보채 나와.

혜자	… 난 임신한 거 알았을 때 혼자서도 막 뛰어다니고 소리 지르고 했는데…. 고마워가 뭐야… 축하해는 또 뭘 얘기래 참 내….
현주	(또 음식 내려놓으며) 남자들은 원래 다 그 모양이야. 야 기대를 버려.
상은	쑥쓰러버서 그런 걸 끼다. 머스마들은 원래 그칸다. 실감도 안 나긴 하겠지. 안 글캤나? (혜자에게 젓가락 쥐어주고)
혜자	(이것저것 먹으며) 그런 거겠지? 사실 나도 실감 안 나. 아직 손톱만 하다는데…
현주	(또 음식 내오며) 야 그래도 뱃속에 있을 때가 백배 낫지. (업은 애 가리키며) 이젠 입도 따로, 싸는 것도 따로니까 아주 죽겠다 죽어.
상은	그래 좀 앉아라. 고만 싸돌아 댕기고… 오랜만에 회포나 풀자.
혜자	근데 오빠는 안 보인다?
현주	주방에 들어갔어. 아빠가 차근차근 가르친대.
혜자	오~ 승진이야?
현주	승진이 아니라 지옥이지.

S# 28   중국집 주방 (D) – 회상

영수, 입에 대파 물고 눈물 흘려가며 열심히 양파채 썰고 있다.
그 앞에 까까머리 중학생 정도로 보이는 남자아이, 같이 양파 썰고 있다.

중학생	거기 김형! 잘 좀 썰어요. 굵기가 제각각이네.
영수	뭐 김형? 너 내가 누군지 몰라? 이 중국집 물려받을 사위야. 쪼그만게 확!
중학생	사부님이 나이 어려도 선배라고 부르라고 했죠. 사부님한테 일러요.
영수	일러라 일러라 일본놈. 일러라 일러라 일본놈.
중학생	유치해서 진짜. (절레절레)
영수	내가 너 여기 물려받자마자 짜른다. 너 이름 뭐야?

중학생	이연복이요.
영수	이연복 너 내가 기억했어. (노려보며 칼질하는데) 근데 양파 말고 당근도 써냐? 왜 빨간 양파가 있어?
중학생	안 아파요?
영수	(손들면 손 비어서 피나는) 아파!! 겁나 아파!! (비명 지르는)

S# 29   조산소 밖 (N) – 회상

혜자	(비명소리 E) 으아아아아아악!!

애기 울음소리 (E)

S# 30   몽타주 (D or N) – 회상

한 손으로 이유식 끓이면서 한 손에 딸랑이 쥐고 어린 대상과 놀아주는 혜자
우는 대상을 안은 채 양발 아래 걸레 두 개를 놓고 방을 이리저리 닦는 혜자.

S# 31   혜자준하집 또는 마당 (D) – 회상

모처럼의 휴일.
의자에 앉아 책을 보고 있는 준하.
그때 대상을 안고 오는 혜자.

혜자	(준하에게 대상 안겨주며) 대상이 좀 봐. 나 기저귀 좀 삶아야 돼서.

준하	(대상 안고) 좀 쉬어. 내일하고.
혜자	내일 하면 앤 뭐 차고 다니라고. 뭐 맨날 쉬래. 쉬게도 안 해주면서…
준하	(민망해서 웃는데)
혜자	(피식) 잘생겨서 봐준다. 내가 얼굴 뜯어먹고 살려고 결혼했지. 진짜… 대상이 잘 봐. (들어가고)
준하	(대상 안고) 이놈. 왜 자꾸 엄마를 힘들게 하구 그러냐아아~(웃는)

(Cut to)

혜자, 손 닦으며 오는데

아기 대상, 얼굴은 흙(잉크)투성이에 손엔 흙(만년필)을 들고 빨고 있다.

혜자	(놀라서 아기 손 털고 안으며) 어머!!
준하	(책 보다가 놀라서) 어? 뭐야? 왜 이래?
혜자	(열 받아서) 애 좀 보라니까 뭐해?
준하	(머쓱한 듯) … 봤어.
혜자	(어이없고) 애를 보라고 했다고 진짜 눈으로만 보냐? 애 안 지루하게 같이 놀아주고, 안 다치게 보살피고 해야지. 애 아빠라는 사람이… 한두 번이야?
준하	…
혜자	… 왜? …맘이 안 가? 정이 …안 들어?
준하	… 사실… 어색해… 아기랑 둘만 있는 게…. 내가 아버지한테 받은 게 없어서 그런지… 뭘 어떻게 하는 게 사랑을 하는 건지도 모르겠고… 뭔가 잘못해서… 애가 잘못되기라도 할까 봐 겁도 나고….
혜자	(그랬구나) … 나는 언제 해봤나? 나도 처음이야. 나도 엄마는 처음이라고.
준하	…
혜자	같이 해보자. 같이 좋은 부모가 되도록 노력하면 되는 거야. 오케이?
준하	(그래도 염려스럽게 아기 대상을 보는)

S# 32   혜자준하집 방 (N)

준하, 방안에서 대야에 있는 아기 대상을 씻기는데 팔을 달달 떨고.
옆에서 그런 준하에게 코치하는 혜자

준하	(계속 불안) 이거 맞어? 나 제대로 하고 있는 거야?
혜자	맞다고. 아빠가 불안해하면 애도 불안해해. 이제 머리 씻겨야지.
준하	(걱정) 눈에 물 들어가면? 어른도 코에 물 들어가면 되게 매운데…
혜자	(준하가 귀엽다) 그럼 평생 애 머리랑 얼굴 안 씻길 거냐? 동네 누렁이도 아니고? 이렇게 살살 해봐.

준하, 혜자의 코치대로 천천히 대상 씻기기 시작하고.
그런 준하의 손가락을 잡은 아기 대상.

준하	(순간 뭉클해서 손 멈추고 어린 대상을 보는데)
혜자	… 예쁘지? 가족이 된 거야 우리.
준하	(뭉클해서 말도 못 하고 대상만 보는)

(Cut to)

어느새 색색 잠든 대상의 머리를 쓰다듬는 준하.
그때 아기 물건 챙겨서 들어오는 혜자.

혜자	(목소리 낮춰서) 잠들었어?
준하	(고개만 끄덕끄덕하며 대상 토닥토닥)
혜자	(그런 준하 등 뒤에 붙어 누워서 잠든 대상을 보는데)
준하	… 고마워. 뭔가 이제야 평생 날 괴롭히던 문제를 풀어낸 느낌이랄까….
혜자	내가 뭐? 나 해준 거 없는데? 장해 아주. (준하 머리 쓰담쓰담)

S# 33   혜자준하집 앞 (N) – 회상

술에 취해 나타난 준하의 아버지와 마주한 준하.
혜자, 대상을 품에 꽉 안은 채 준하 시선이 닿지 않는 곳에 서 있고.

준하아버지   손주 좀 보러 왔다니까….

준하   … 돌아가세요. 술도 취하신 것 같은데….

준하아버지   어허 거참 서운하네.

준하   원하는 돈을 못 받아서 서운한 거 아니구요?

준하아버지   (피식) 어때 너도 자식 낳아보니까 내 마음이 좀 짐작이 가지?

준하   그러게요. 어쩜 자식 있는 아비가 저리 살까 싶긴 하던데요.

준하아버지   지 애미 닮아서 정이 가는 구석이 없어요 아주… 뭐 자식도 있고 하니 더 이상 서로 험한 꼴 보는 일 없도록 잘 해결하자고 온 거야 나도.

준하   아뇨. 말씀하신 대로 이제 난 한 아이의 아버지고, 한 여자의 남편이기 때문에 가족을 지키기 위해선 할 수 있는 모든 걸 할 겁니다. 그리고 할 수 없는 일을 할지도 모르겠네요.

준하아버지   (좀 놀란 표정)

준하   (서늘) 돌아가세요.

준하의 서슬에 겁먹은 준하 아버지, 툴툴대며 집 떠나고.
대상을 안고 준하에게 다가온 혜자.
그래도 마음이 안 좋을 준하 등을 쓸어주는 혜자.

S# 34   경비실 (N)

경비실에 혼자 앉아 있는 대상.

낡은 흑백 사진 속 대상을 안은 혜자, 준하. 편안한 표정으로 웃고 있다.

밑에 하얀색 글자로 흘려 쓰듯 적힌 '첫돌. 광장사진관'

그때 경비실 쪽으로 비치는 헤드라이트에 가계부에 사진을 끼워 넣고 일어나는 대상.

대상   몇 호 오셨습니까?

S# 35   요양병원 로비 (D)

로비에 점점 들어차는 햇빛.

S# 36   혜자 병실 (D)

정은, 혜자 옆쪽에 꽃을 꽂은 꽃병을 두는데

혜자   (정은을 물끄러미 보다가) 머리가 많이 길었네요.

정은   (머쓱해서 뒷머리 만지며) 그래요? 뭐 뒷머리 봐줄 사람도 없고… 보여줄 사
        람도 없어서….

혜자   … 신랑은 없어요?

정은   (이렇게 다 잊다니) … 있어요. 있는데….

혜자   (미소) 남편들이 다 그렇지 뭐. 오죽하면 남, 편이라 그러겠어. 내, 편이 아
        니고. (웃는데)

정은   (같이 웃고)

혜자   나도 왕년에 미용사였었는데… 괜찮으면 좀 다듬어 줄까요?

정은   (표정)

S# 37   요양병원 (D)

대상, 피곤한 몸으로 들어오는데 혜자가 마당에서 할머니들 머리 만져주는 걸 본다.
혜자, 예전처럼 웃으며 할머니들 머리를 능숙하게 커트하고.
노부부 할머니 커트 막 끝난 듯 할아버지가 휠체어 밀며 지나가면
혜자를 물끄러미 보고 있던 대상 옆으로 다가오는 정은

정은   어때요? (머리 보여주고) 어머님이 다듬어 주신 거야. 잘하셨지?
대상   … 그러네….

대상과 정은, 혜자 바라보고 있다.
그때 저쪽에서 중국집 배달 스쿠터가 도착하고.
보면 헬멧 쓴 현주, 바리바리 음식을 싸 왔다.

(Cut to)

대상   (음식 넘겨받으며) 뭘 또 오셨어요.
현주   내 친구 보러왔다 왜? …좀 어때?
정은   오늘은 좀 괜찮으시네요.
현주   (그런 혜자를 보는)

S# 38   혜자 병실 안 (D)

혜자와 얘기 나누는 현주. 간만에 웃는 소리도 나고.

현주   야 솔직히 그래도 젊었을 땐 내가 제일 나았지. 무슨….
혜자   치… 그렇게 제일 나아서 우리 오빠랑 결혼했어? (웃는데)

현주	야 원래 오빠들이 여동생 친구 중에 제일 이쁜애만 딱 꼬셔서 작업 걸잖아.
혜자	진짜 상상도 못 했어. 상은이가 오빠 얘기할 때마다 거품 물고 난리치더니…
현주	점쟁이가 내 평생 딱 세 번, 땅을 칠 후회를 한다 그랬는데… 생각해보니 첫 번째가 중학교 때 김영수 좋아한 거, 두 번째가 결혼 적령기에 김영수 사귄 거, 세 번째가 김영수랑 결혼한 거였어… 용해 아주 그 점쟁이가….
혜자	왜 우리 집 밥풀이도 너만 보면 짖었잖아. 밥풀이가 암컷이라서 오빠 되게 따랐거든. 본능적으로 안 거지. 영문 모르는 나는 괜히 밥풀이만 혼내고. (웃는)
현주	그래… 밥풀이… 참 귀여웠는데… (혜자 보며) 정말 어제 일 같다….
혜자	… 그러게… 어제 일 같네.

현주와 혜자, 둘 다 물끄러미 바라보며 서로의 손을 쓰다듬기만 하는.

S# 39　요양병원 복도 (D)

현주 돌아가는 길을 배웅하는 대상.

현주	(울었는지 코 풀며) 잘 먹긴 해? 원래도 말랐던 애가 배싹 골아서는….
대상	양 대로는 못 드시죠. 그래도 집사람이 잘 챙겨요.
현주	… 못 알아본다며?
대상	(쓸쓸하게 끄덕끄덕) 네. 그래도 외숙모는 알아보시네요. 다행히… (하다) 저기 외숙모… 혹시 엄마랑 관련 있는 시계 같은 거 뭐 아는 거 있으세요?
현주	시계? 무슨 시계?
대상	그냥 평범한 손목시계인데… 엄마가 이상하게 어떤 할아버지 손목시계에 좀 과민반응을 보이셔서….

그때 굳어지는 현주의 표정. 그리곤 이어 분노로 일그러지고

현주   ··· 어딨어 그 인간···.

대상   (의아) 네?

현주   그 인간이 아직도 살아 있어?!

S# 40   혜자준하집 방 (D) – 회상

출근 준비하는 준하 반응을 유심히 관찰하는 혜자.
달력에 심하게 크게 동그라미 쳐놓고 크게 글자로도 '결혼기념일'이라고 적혀 있고.

혜자   (괜히 달력 펄럭펄럭) 오늘이 며칠이더라~

준하   (양말 신으며) 오늘? 22일 이던가.

혜자   (못 알아채자 아예 달력을 손가락으로 가리키며 서 있고)

준하   (방쪽 향해) 대상아 아빠 간다~ (혜자에게) 다녀올게.

혜자   (준하 옷 잡고 못 가게)

준하   왜? 나 뭐 안 챙겼나? (주머니 뒤져보는데)

혜자   제일 중요한 걸 안 챙겼지! 와 결혼 전에 그렇게 내 말투 하나 표정 하나
          까지 분석하며 예리하더니 어떻게 기자 되고 나서 눈치가 더 없어졌을까?

준하   (흠칫) ···아 미안. 오늘 당신 생일···.

혜자   (O.L) 결혼기념일이라고!! 이걸로 내 생일도 기억 못하는 것도 들켰구요.

준하   ··· 아··· 미안. 요새 취재하는 건이 좀 바빠서 정신이 없어서···.

혜자   아이고··· 이러다가 진짜 집 주소도 까먹고 못 오는 거 아닌가 몰라···.

준하   에이 또 뭘··· 오늘 나가서 외식할까 간만에?

혜자   음식점 문 닫기 전에 들어오기나 하셔요. 맨날 통금에 걸려서 외박하면서···.

준하   알았어. 오늘은 기필코 일찍 들어올게.

혜자	그동안 말로만 했는데 오늘도 늦게 들어오면 진짜 문에 못 박습니다!
준하	(혜자 볼에 뽀뽀해주고 나가는)

Cut to

혜자, 상에 음식 차려놓고 기다리는데 안 오고.

혜자	이거 봐라 이거 봐….

S# 41   혜자준하집 앞 (N) – 회상

혜자, 결국 대상 업고 밖에 나가서 서성대고.

Cut to

멀리 들리는 통금소리.

혜자	또 야근인가… 그래 아주 세상 기사는 니가 다 써라….

S# 42   혜자준하집 방 (D) – 회상

어슴푸레 밝아오는 새벽.
대상 우는 소리에 깬 혜자.

혜자	(잠결에 더듬더듬) 여보… 대상이 기저귀 좀 봐봐….

근데 더듬거리는 혜자 손에 닿는 게 없다.

혜자, 잠결에 놀라 보는데 준하 자리가 비어 있다.

혜자   뭐야… 아예 안 들어왔어? 몇 시야? (일어나 정신 차리는)

S# 43   신문사 앞 또는 안 (D) – 회상

혜자, 대상을 업고 신문사로 왔고.
삼삼오오 모여서 얘기도 하고 뭔가 무거운 분위기.
혜자, 준하에 대해서 물어보고 싶어서 두리번대는데
그때 지나가는 혜자와 안면 있는 기자 1.

기자1   (혜자보고 인사) 안녕하세요. 제수씨
혜자   (웃으며) 에이~그만 좀 부려 먹으세요. 우리 남편 어딨어요? 숙직실에서
          자나 또?
기자1   (의아) 준하 안 들어갔어요? 아직?
혜자   (당황) 아직… 이요? 그럼 어디… 갔어요?
기자1   사실… 어제 정보부 쪽 사람들이 들이닥쳐서는 정치부, 사회부 가릴 것
          없이 다 잡아갔어요. 저랑 준하도 잡혀갔었고….
혜자   (불안) 준하 씨를요?
기자1   전 새벽녘에 풀려나서 준하도 돌아온 줄 알았는데….
혜자   (점점 불안해지는 눈빛)

S# 44   혜자준하집 방 (D) – 회상

혜자, 불안한 듯 방에 앉아 있는데

밖에서 우는 대상을 얼레는 혜자의 부모님.

혜자모   대상아. 아빠 얼른 오세요 해.

혜자부   경찰서에 실종 신고했으니까 연락 오겠지… 밤새 조사받고 피곤해서 어디 여관에라도 들어가서 잠든 걸 수도 있고….

혜자   (불안한 표정)

S# 45   혜자 집 주방 (D)

혼자서 전을 부치고 있는 정은.
씻고 나온 대상, 미안한 마음에 정은 쪽으로 가고.

대상   뭐 도와줄 거 없어?

정은   다 했어. 얼른 가봐요. 어머니 기다리실라….

대상   가야지.

정은   어머니 요새 식사 통 못하시던데… 날도 추워지는데 걱정이네.

대상   (나가려 하며) …그냥 적당히 해….

정은   … 마지막 제사일 수도 있어요… 어머님한테는….

대상   (멈칫)

정은   하는 데까진 해야지. 다녀와요. 난 이거 마무리하고 갈 수 있음 갈게.

대상, 나가는 소리 들리고.
정은, 정성껏 전을 부치는.

S# 46   요양병원 (D)

병상에 누운 혜자, 더 파리해진 안색.
옆에 서서 혜자 손을 잡아주는 상현과 걱정스런 표정의 대상.

상현   식사가 영 힘드시다고 해서 대신 링거로 맞는 거예요.

혜자   (웃으며) 네. 알아요.

상현   링거도 영양분이 많긴 한데 드시는 식사만은 못하니까 얼른 기운 차리고
            일어나셔서 같이 식사하는 걸로 해요 아셨죠?

혜자   (미소 짓고)

상현   (대상에게 조용히) 상황을 좀 지켜볼게요. 이랬다가도 좀 나아지시는 경우
            도 있으니까….

대상   네…. (혜자 보는)

S# 47   혜자준하집 방 (D) - 회상

집 안이 어질러져 있는데 그저 누워만 있는 혜자.
옆에서 어린 대상이 울며 보채는데 혜자 기운이 없는 듯 누워 있기만.
그런 혜자에게 죽 갖고 들어와서 건네고 대상을 안는 혜자의 엄마.

혜자   (기운 없이 일어나며) 엄마 대상이 좀 봐줘.

혜자모 경찰서에 아빠가 알아보러 갔어.

혜자   벌써 삼 일째잖아. 경찰서 말고 다른 데로 가봐야겠어. (서둘러 옷 입고)

S# 48   경찰서 앞 (D) - 회상

혜자, 건물로 들어가려는데 그런 혜자를 제지하는 경찰들.

혜자   남편이 여기 있는지만 확인하겠다는데 왜 안 되는 거예요?

경찰   확인해드릴 수 없습니다.

혜자   그럼 없는 지라도 확인하게 들여보내 달라구요!!

경찰들과 혜자, 실랑이하는데
그때 경찰서 안쪽에서 손목이 아픈 듯 주무르며 나오는 형사. (시계 할아버지 젊은 얼굴)
형사, 때리는 모션을 해 보이며 동료형사2와 낄낄대며 나오다가 혜자를 힐끗 본다.

혜자   (경찰들에게) 신문기자 이준하라구요. 신분도 확실한 사람을 왜 잡아가서
          안 놔줘요!!

형사   (지나치려다 멈춰 서서 여전히 손목 주무르며) 이준하? 서울신문사?

혜자   (보고) 네. 저희 남편이에요. 혹시 여있어요?

형사   네. 좀 조사할 게 있어서….

혜자   뭘 조사해요? 우리 남편이 뭘 잘못했는데요?

형사   (피식) 잘못한 건 우리가 조사해보면 나오는 거고. 돌아가세요. (가려는데)

혜자   (형사 팔 잡고 똑바로 쳐다보며) 아무 죄도 없는 사람 잡아두고 있는 거 다 알
          아요.

형사   (혜자 팔 치우며) 아들 하나 있다면서요?

혜자   (!!! 놀라서 눈빛이 흔들리는데)

형사   아들내미 앞길까지 막고 싶지 않음 조용히 돌아가세요. (가버리고)

S# 49   혜자준하집 안 또는 앞 (D) - 회상

푸석한 얼굴의 혜자, 기자1과 만나고 있고.

기자1   어제 다른 신문사 기자가 풀려났다길래 만나서 준하 얘길 물어봤는데….
혜자   (불안한) 어떻대요? 괜찮대요?
기자1   상황이 안 좋은 거 같아요. 제수씨.
혜자   왜요? 우리 준하 씨가 도대체 무슨 잘못을 했는데요? 네?
기자1   암튼 우리 사장님이 직접 부탁해보겠다고 했으니 조금만 기다려 보세요.

S# 50   어두운 복도 (D) - 회상

혜자. 제복 경관을 따라 어두운 복도를 걸어간다.
그 옆을 같이 걷는 형사(시계 할아버지 젊은 얼굴)
두려운 얼굴로 두리번대는 혜자.

기자1   (E) 아무리 그래도 가족한테는 얼굴이라도 보여줘야 하는 거 아니냐고 사
정했다고 하니까… 일단 마음의 준비는 하고 가세요 제수씨….

S# 51   면회실 (D) - 회상

차가운 창살이 가득한 면회실에 덩그러니 앉은 혜자.
그때 철문 열리는 소리와 함께 옷에 피 묻힌 채 들어오는 준하.
파리한 준하 얼굴에 상처가 가득. 얼굴이 많이 망가졌고.

혜자	(놀라 일어나며) 여보!!
준하	(애써 침착) 여긴 왜 와. 집에 있지.
혜자	… 왜… 왜 당신이 여깄어? 얼굴은 왜 그래? 맞았어?
준하	… 뭔가 오해가 있었나 봐. 좀만 있음 나갈 거야. 걱정 마.
혜자	(옆에 서 있는 형사에게) 우리 남편이 뭘 잘못해서 때린 거예요? 이 사람이 도둑질을 했어요? 아님 사람을 죽였어요? 이유가 뭐냐구요!!
형사	(관심 없는 듯 손톱 뜯으며) 남편 면회 왔으면 남편이나 보고 가세요.
준하	(달래는) 나 괜찮아.
혜자	(형사에게) 당장 이 사람 풀어줘요. 그리고 당신… 내가 고소할 거야.
형사	(피식 웃고)
준하	(달래는) … 혜자야… 내 말 들어. 돌아가서 기다려.
형사	남편 말 들어요. 여기서 이런다고 남편한테 하등의 도움이 안 된다니까….
혜자	(준하에게) 잘못한 것도 없는데 니가 여길 왜 들어가?!! 빨리 나와.
준하	(달래며) 어. 나갈 거야. 그러니까….
혜자	(불안감이 폭발 O.L) 나오라고!! 빨리 나와!! 나와!!
경관	정숙하세요!!
준하	나갈 거야. 그동안 우리 대상이 잘 부탁해. (터진 입술로 웃어 보이는)

S# 52   혜자준하집 앞 (D) – 회상

멍하니 마루에 나와 앉은 혜자.
그런 혜자 옆에서 올망졸망 장난감을 늘어놓고 노는 대상.
그때 우체부가 오고. 우체부를 맞이하는 혜자의 엄마.
엄마, 우편을 뜯어보더니 그 자리에 쓰러지는.

S# 53   경찰서 (D) – 회상

혜자 아버지와 경찰서에 온 파리한 안색의 혜자.

경찰로부터 새하얀 보자기에 싸인 유골함을 받는다.

혜자 아버지, 휘청거리는 혜자를 대신해 유골함을 받아 들고…

한쪽에 멀찍이 떨어져 서서 그런 혜자와 혜자 부를 힐끗 보는 형사.

경관   (기계적으로) 조사 중에 폐렴 증세가 있었는데…. 급히 병원으로 후송해서
            치료를 했음에도… 삼가 고인의 명복을 빕니다.

혜자   (눈물도 안 나고 멍하니 서 있고)

혜자부   … 세상천지에… 이런 일이…어딨습니까….

경관   저희도 안타깝게 생각합니다. 이쪽에서 유품 찾아가세요.

혜자에게 유품을 건네는 경관. 낡은 서류가방 위에 얹어진 구두 한 짝.

혜자   … 시계… 시계가 없어….

혜자부   (혜자를 보는데)

형사, 그 얘기에 소매를 내려서 손목을 감추고.

혜자   … 준하 씨 시계… 그 시계가 없다고.

경관   (목록 보더니) 시계는 안 적혀 있는데….

혜자   그럴 리 없어… 단 한 번도 안 차고 나간 적 없는데….

형사   (다가와서) 뭐… 잡혀 오기 전에 소매치기를 당했을 수도 있고…. 여기서 이
            러지 마시고 도난신고는 따로 나가서 하세요.

형사, 혜자와 혜자 부를 내보내려 혜자 부를 밀어내는데

그 순간 혜자의 눈에 형사의 손목에 채워진 준하의 시계가 들어온다.

혜자   이거… 이거… 이 시계!!

형사   (아닌 척 다시 숨기고) 용무 끝났으면 나가시라구요. 박 순경!!

혜자   (형사 손목에 엉겨 붙어서 안 떨어지며) 맞잖아!! 이거 우리 남편 꺼잖아!!

형사   아 좀 놔요. 아무렴 내가 죽은 사람 시계를 찼을까. 재수 없게.

혜자   (눈 뒤집히는) … 니가 죽였잖아!!! 니가 때리고 죽인 거잖아!!

형사   (확 떠밀며) 아 나가라고!!

경관   (혜자 떼어내며) 나가시죠.

혜자   살인자!! 시계 내놔!! 그거 준하 꺼야! 내가 준 거라고!! 내 꺼야!! 내놔!!

아니라는 형사와 매달리는 혜자, 결국 형사 손등에 깊게 생채기를 내고 나서야
경관들 손에 억지로 떼어져 나가는 혜자.

S# 54   **요양병원 외경 / 혜자 병실 (N)**

상태 안 좋은 혜자, 간혹 기침도 한다.
혜자 옆에 앉은 대상도 밤새 간호를 하는데
그때 문 열리며 들어오는 간호사.

간호사   (난처한) 저기…. (입구 쪽을 보고)

대상   왜요?

입구 쪽을 보는데 휠체어에 앉은 시계 할아버지.

간호사   안 된다고 했는데 계속 고집을 부리셔서… 아시는 분이세요?

대상   … 글쎄요. 일단 오셨는데 잠깐이라도 뵙게 해드리죠.

간호사, 휠체어 밀고 혜자 쪽으로 오고.
그 소리에 눈을 뜬 혜자, 다가오는 시계 할아버지를 보는데.

시계할아버지 (손을 천천히 내밀며) 으_으_으_으_으….
대상   (손을 내미는데)
시계할아버지 (대상 손을 지나쳐 혜자의 손 쪽으로 다가가며) 으어어어….

시계 할아버지, 힘없이 놓여있는 혜자 손 위에 시계를 놓는다.
그 할아버지 손등에 보이는 시커멓게 남은 깊은 손톱자국.
할아버지, 고개를 숙이고 짐승의 울음소리 비슷한 울음을 울며 흐느낀다.
그런 할아버지를 물끄러미 보던 혜자, 손을 뻗고.
혜자, 할아버지의 굽은 등에 가만히 손을 얹는.

혜자   (Na) 나의 인생이 불행했다고 생각했습니다. 억울하다고 생각했습니다.

S# 55   혜자 집 거실 (N)

음식들이 풍성하게 차려진 제사상.
정은, 제기에 담은 음식을 민수에게 건네자
검은 양복을 입은 민수가 마지막 자리를 채우고.
그때 방에서 양복 챙겨 입고 나오는 대상.
준하의 영정 속 미소 짓는 모습 위로

혜자   (Na) 그런데 지금 생각해보니 당신과 행복했던 기억부터 불행했던 기억까지, 그 모든 기억으로 지금까지 버티고 있었던 거였습니다.

민수, 한쪽 소파에 앉은 혜자에게 다가가고.

민수   할머니. 매년 봐도 할아버지 진짜 미남이시다. 아 왜 난 안 닮은 거야….
혜자   (소리 없이 미소만 Na) … 그 기억이 없어질지도 모른다고 생각하니 무섭기
         만 합니다. 당신이 죽었던 날보다도, 지금이… 당신을 잊어버릴 지도 모른
         다는 사실이 더 무섭습니다.

대상, 영정 속 여전히 젊은 준하의 모습을 보는데.

대상   … 사진을 좀 바꿀걸 그랬나 봐….
정은   왜요… 시아버님은 평생 저 아름다운 나이로 사시는 건데….
대상   수고했어. 혼자서….
정은   얼른 절이나 해요. 어머니 힘드신데… 민수야.

대상과 민수, 같이 제사를 지내는 모습.
뒤에 앉은 혜자와 정은은 물끄러미 그 모습을 보고.
민수까지 절을 올린 뒤 대상, 혜자를 본다.

민수   할머니…. 할아버지한테 인사하실 수 있으시겠어요?
혜자   (기운 없이 끄덕끄덕)

일어서는 혜자를 양쪽에서 부축하는 민수와 대상.

대상   절은 마세요. 힘드신데….

바닥에 앉아 민수의 도움으로 술을 받는 혜자.

그리고 민수가 술을 올리고.

혜자   (물끄러미 보다가) 어째 당신은 일 년이 지나도 나이를 안 먹네. 곱다 고와.
        거긴 어때요? 꿈결에도 안 나오는 거 보니까 좋긴 한가 보네. 당신이 좋아
        하던 시계… 가져오려고 했는데 그만뒀어요. 서운해요?

대상, 정은, 민수, 서서 가만히 얘기를 듣는.

혜자   … 미안해요. 시계 못 가져와서… 그리고 평생 외로웠던 사람… 혼자 가
        게 해서…. (눈시울이 붉어지고)

[FLASH BACK]

혜자가 상복을 입은 채 바닷가에 앉아 준하의 사진을 본다.

혜자   … 미안해. 시계 못 가져왔어. 그리고… 평생 외로웠던 사람… 혼자 가게
        해서… 미안해…. (준하의 영정 사진을 끌어안고 우는)

혜자의 침묵이 길어지는데 모두 아무 말이 없다.

조용히 향만 타들어 가는 밤.

S# 56   요양병원 식당 (D)

혜자를 비롯한 노인들 모여서 밥 먹고 있다

그 뒤로 노부부 할아버지, 혼자 힘없이 밥 가지고 가고

어둑어둑한 하늘에 요양병원 안도 뭔가 가라앉은 분위기다.

단순   뭐가 한바탕 쏟아질 것 같네⋯ 무릎이 시큰거리는 거 보니까⋯.

S# 57   경비실 (D)

경비실에 있던 대상. 눈이 조금씩 흩날리기 시작하고.
그때 경비실 문 여는 관리소장.

관리소장   이 씨. 저기 오늘 눈 밤새 온다는데 쌓이기 전에 미리미리 좀 쓸자고.
대상   아 네.
관리소장   (나가려다) 어머님은?
대상   ⋯
관리소장   (뭐라 할 말이 없다) 암튼⋯ 제설 신경 좀 써요. 또 주민들 난리 난다. 에으⋯.

대상, 자리에 앉아 흩날리는 눈을 보는.

S# 58   미용실 앞 (D) – 회상

중학생이 된 대상.
가방을 메고 나오는데 눈이 꽤 내려서 좀 쌓였고.
눈길을 보고는 난처한 표정을 짓는 대상.
대상, 조심스레 발을 내딛어 보는데 쓸려있는 바닥.
대상 보는데 옆집 쌀집 아저씨 옆에 놓여있는 싸리빗자루.

대상   (꾸벅 인사)
쌀집   길 미끄럽다. 조심히 가.

대상   네.

대상, 눈이 치워진 길을 따라 천천히 학교로 가고.

S# 59   아파트 단지 안 (D)

꽤 쌓인 눈을 비질로 치우고 있는 대상.
그때 주머니에서 울리는 대상의 휴대폰.

S# 60   요양병원 안 (D)

놀라서 경비옷 그대로 입고 달려온 대상.
기다리고 있던 간호사, 달려오고.

간호사   병실에 안 계셔서 다 뒤져봤는데 안 보이세요. 분명히 아까 체온 재러갈
            땐 계셨는데….
대상   밖은요? 밖에 나가신 건 아니구요?
간호사   안 그래도 선생님들 몇 분이 나가셔서 찾고 계세요.

대상, 밖으로 나가고.

S# 61   요양병원 뒷문 (D)

대상, 내리는 눈에 젖은 머리에서 김이 난다.

뛰어다니느라 다리에 무리가 왔는지 다리 쪽 통증에 얼굴도 일그러지는.

대상 혹시나 해서 뒷문 쪽으로 와보는데 거기서 비질 소리가 나고.

뒷문 쪽에서 혜자가 빨갛게 된 손으로 눈을 쓸고 있다.

대상, 혜자를 발견하고 안도와 짜증이 동시에 터지는 표정.

대상   (버럭!!) 뭐 하시는 거예요 지금!

혜자   아 놀래라… (다시 미소) 눈 쓸어요.

대상   …!!

혜자   눈이 오잖아요. 우리 아들이 다리가 불편해서…. 우리 아들 학교 가야 하
          는데 눈이 오면 미끄러워서….

[FLASH BACK]

대상 기억 속 학교 정문까지 이어졌던 길.

문 열고 나서던 대상에게 눈길도 주지 않던 혜자.

대상   … 아들은 몰라요. 그거….

혜자   몰라도 됩니다~ 우리 아들만 안 넘어지면 돼요. (웃으며 계속 비질을 하는.)

대상, 다가가서 겉에 입고 있던 경비 점퍼를 벗어 혜자에게 덮어준다.

혜자   아유 추우신데….

대상   (혜자 손잡고) 이제 그만 쓰셔도 돼요….

혜자   아니에요. 눈이 계속 오는데….

대상   아드님… 한 번도 안 넘어졌대요…. 눈 오는 날 내내 한 번도… 넘어진 적
          없대요.

혜자   그래요? 다행이네요. (환하게 미소 지으며 대상 보고)

그때 뛰어온 병수와 간호사, 보이고.

병수　　어르신!! 이 날씨에 밖에서 뭘 하시는 거예요. 진짜….

간호　　(휠체어 밀고 와서 혜자 앉히고 담요 덮어주며) 일단 들어가세요. 추운데….

대상, 휠체어에 타고 안으로 들어가는 혜자를 보고는 돌아서서 눈물 참는데
그때 대상에게 다가오는 정은.

정은　　… 여보….

대상　　(눈물을 눌러 참으며) … 엄마였어…. 평생… 내 앞의 눈을 쓸어준 게… 우리
　　　　엄마… 였어…….

정은　　(눈물 나는) … 울어요. 울어. 참지 말고 울어.

대상　　(무릎 꺾이며 무너지듯 울고)

정은　　(그런 대상의 등을 쓸어주며 같이 우는)

정은과 대상 위로 내리는 눈.

S# 62　　혜자 병실 (N)

잠든 혜자 손을 어루만지는 대상.
그의 얼굴 한구석에 늘 자리 잡고 있던 노기가 사라졌다.
그 모습 보는 정은.

정은　　당신… 그렇게 부드러운 얼굴로 어머니 보는 거 처음이야.

대상　　(혼잣말하듯 얘기한다) … 그토록 평생 엄마를 옥죄었던 내 다리가… 내 인
　　　　생이… 이젠… 엄마의 기억에서 사라졌어…. (슬픈 미소) 그런 엄마에게 더

이상 화를 낼 수 없잖아.

S# 63   요양병원 외경 (N → D)

잠시 후 닫힌 문 너머 다시 소란스러워지는 요양병원 복도.

희원   (OFF) 빨리 가족들 연락 좀!!
간호사   (OFF) 네!!

S# 64   요양병원 다른 병실 (D)

떼꾼한 얼굴의 대상, 병실 쪽으로 가는데
사망자 침대가 먼저 나오고, 따라 나오는 노인들.
한쪽 의자에 앉아 있는 노부부 할아버지 손을 잡아주는 노인들.
할아버지, 끄덕끄덕 미소도 지어 보이며 화답을 하고.
그때 할아버지에게 다가오는 딸.

딸   (아빠를 꺼안고 우는) 아빠….
할아버지 (씩씩) 괜찮아. 그동안 엄마 아파서 얼마나 고생했니? 이제 편할 거야. 잘
             갔어. 더 빨리 갔어야 했는데…. 이제라도 잘 간 거지.
딸   (슬프게 아버지를 보는데)
할아버지 (웃으며) 이제 나도 좀 편히 지내야지. 그놈의 여편네 수발드느라 내가 얼
             마나 고생했는데…. 어우 지긋지긋해… 이제 갔으니 나도 하고 싶은 거
             좀 하고 재미있게 살아야겠다. (딸 위로하며) 지윤인? 지윤이 학교는 잘 챙
             겨 보내고 왔니?

병수　　　(딸에게 다가와서) 따님 되시죠? 잠깐 사무실로 오시겠어요?

딸, 병수 따라서 자리 뜨자 할아버지 자리에서 일어나고.
이미 정리가 되어 텅 빈 침상을 손으로 쓸어보는 할아버지.
그러다 점점 할아버지의 어깨가 들썩이고. 그러다 울기 시작하는 할아버지.
침상의 시트를 양손으로 꼭 부여잡고는 소리도 없이 우는.
대상, 그런 할아버지를 본다.

S# 65　　요양병원 로비 (D)

희원과 병수, 착잡한 표정으로 로비에 서 있고.

희원　　　매번 겪는 일인데도… 참 적응이 안 되네요. (울었던 듯 코훌쩍이고)
병수　　　… 죽음이 어떻게 적응이 되겠냐….
희원　　　한 분이 이렇게 가시고 나면 다른 분들도 다 우울해하셔서서….
병수　　　그러게. 뭘 어떻게 해드려야 할지….
희원　　　뭐라도 해봐야죠…. (울음 터지고 병수 껴안는)
병수　　　너는… 생긴 거랑 다르게 뭘 눈물이 이렇게 많냐…. (훌쩍거리는)

(Cut to)

요양병원 로비에 트리를 만들고 있는 희원, 병수, 직원들.
이것저것 장식도 하고.
그 소리에 조금씩 나와 보는 노인들.
노인들에게 장식 오너먼트 건네서 직접 트리에 걸 수 있게 도와주는 직원들.
상현도 나와서 돕고.

S# 66　미용실 안 (D)

대상, 정은과 치킨을 먹고 있고.

대상	금방 온다고 왔는데… 식었네.
정은	식어도 바삭하네 뭐.
대상	… 나 경비일 그만둘까 봐.
정은	그래. 나도 이틀에 한 번꼴로 혼자 자려니까 이 좁은 집도 무섭더라. 잘 생각했어.
대상	그게 아니고… 엄마 모시고 시골로 갈까 해.
정은	(보는데)
대상	어제 어르신 한 분 돌아가시는 거 보고… 엄마가 거기 침대에만 누워계시다 돌아가시게 하는 게 맞는가 싶기도 하고….
정은	(고민 없이) 그래. 내일 부동산에 미용실 내놓는다 얘기하지 뭐.
대상	… 당신도 가게?
정은	당연하지. 나는? 왜 나는 빼? 나는 어디 살라고….
대상	… 괜찮겠어? 굳이….
정은	진짜 이렇게 끝까지 편 나누기할 거야? 나 혼자 자는 거 무섭다니까?
대상	(정은 맘을 알아서 고맙다. 괜히 닭날개를 정은에게 주는데)
정은	당신 먹어. 난 날개 안 좋아해.
대상	아… 날개는 민수가 좋아하던가?
정은	… 웬일이래? 그걸 다 기억하고?
대상	… 왜 몰라 알지.
정은	담번에 민수 들어오면 치킨에다 맥주 좀 해. 부자끼리. (웃고)
대상	… 그래야지. (미소)

S# 67   몽타주 (D)

부동산을 드나드는 대상과 정은 모습 보인다.

S# 68   요양병원 전경 / 요양병원 마당 (D)

혜자, 나무 아래 휠체어에 앉아 볕 쬐고 있고.
그런 혜자에게 다가가는 대상.

혜자   (대상 보고 빙긋 웃으며) 안녕하세요.

대상   … 네. 오늘 날씨가 좋네요.

혜자   그러게요. 날이 아주 눈부셔요… 언제 이사 오셨어요?

대상   저요? (쓸쓸하게 웃으며) 언제 이사 왔더라… 어머님은 언제 오셨어요?

혜자   저요? 저는… (생각하려다가 잘 안 나는 듯) 그러게… 언제 왔더라….

대상   생각 안 나시면 굳이 기억 안 하셔도 돼요. 그냥 행복했던 시간만 기억하세요.

혜자   (미소 띠며 혼잣말처럼) 행복했던 시간….

대상   어머님은… 살면서 언제가 제일 행복하셨어요?

혜자   (떠올리는 것만으로도 행복한 듯 입가에 미소가) 대단한 날은 아니고….

대상   (혜자를 보며 듣고 있는데)

혜자   나는… 그냥 그런 날이 행복했어요. 동네에 다 밥 짓는 냄새가 나면 나도 솥에 밥을 얹어놓고 그때 한참 아장아장 걷는 우리 아들 손을 잡고 마당으로 나가요.

S# 69   혜자준하집 앞 (D) - 회상

혜자   (E) 그럼 그때쯤 저 멀리서부터 노을이 지는데…

오렌지와 핑크, 보라색이 감도는 노을이 저 멀리 펼쳐져 있는데
혜자, 대상과 마당에 핀 꽃을 보고 있다.
대상, 고사리 같은 손으로 혜자가 가르쳐주는 꽃을 만져도 보고.
그때 저쪽에서 걸어오는 양복 재킷을 팔에 걸치고 서류가방을 든 준하.

혜자   어 대상아. 저기 누구 왔게?

어린 대상 돌아보더니 준하를 향해 뒤뚱뒤뚱 걸어간다.
지쳐 보이던 준하, 자기에게로 걸어오는 대상을 보더니 어느새 얼굴이 확 펴지고.
멈춰 서서 어린 대상이 걸어오는 걸 팔을 벌리고 서서 지켜보고.
코앞까지 와서 넘어질 뻔한 대상을 얼른 안아 들고 혜자 쪽으로 오는 준하.
준하와 혜자, 서로 미소로 '수고했어'를 전하는.

준하   (대상 안아 들고) 와. 노을 예쁘다.
혜자   그러게. 매일 봐도 예뻐. 난 노을이 더 예쁘더라. 햇빛보다….
준하   나도.

그렇게 세 가족, 꼭 유화 같은 노을을 아무 말 없이 한참을 바라보고 있는 모습.

혜자   (E) 그때가… 제일 행복했어요.

S# 70   요양병원 마당 (D)

그때 기억에 빠진 듯 먼 곳을 보며 미소 짓는 혜자.

혜자   그때가…. (끄덕끄덕)

대상   (혜자를 보며. Na) 어머니는 알츠하이머를 앓고 계십니다. 하지만 어머닌 어
        쩌면… 당신의 가장 행복한 시간 속에 살고 계신 것일지도 모릅니다.

혜자, 부는 바람을 기분 좋은 표정으로 느끼고 있다.

그런 혜자 머리 위로 꽃잎이 하나 팔랑팔랑 떨어지고.

그 꽃잎의 무게를 느끼기라도 한 듯 혜자 고개를 들어 앞을 보는데

그때 저 멀리 흰 셔츠와 검은 바지 차림의 준하의 뒷모습.

혜자, 자세히 보려 눈을 가늘게 뜨는데 그때 돌아서는 준하.

준하, 혜자를 향해 서서 웃고 있고.

혜자, 놀라서 눈이 커지고

휠체어에 앉은 혜자의 손과 발이 천천히 달그닥거리기 시작한다.

어느새 휠체어에서 일어나 준하를 향해 뛰어가는 혜자.

S# 71　　바닷가 (D)

씬 바뀌면서 젊은 혜자의 모습으로 준하를 향해 달려가
준하의 품에 뛰어들어 안긴다.

준하　　이제 여기서 나랑 같이 있자. 어디 가지 말고. (혜자 손을 잡고)

혜자　　(눈물이 가득한 눈으로 준하에게 웃어 보이고)

준하와 혜자, 손을 맞잡은 채 서 있는 모습에서

혜자　　(Na) 내 삶은…. 때론 불행했고 때론 행복했습니다. 삶이… 한낱 꿈에 불
　　　　과하다지만… 그럼에도 살아서 좋았습니다. 새벽의 쩅한 차가운 공기, 꽃
　　　　이 피기 전 부는 달큰한 바람, 해 질 무렵 우러나는 노을의 냄새…. 어느
　　　　하루 눈부시지 않은 날이 없었습니다. 지금 삶이 힘든 당신…. 이 세상에
　　　　태어난 이상 당신은 이 모든 걸 매일 누릴 자격이 있습니다. 대단하지 않
　　　　은 하루가 지나고 또 별거 아닌 하루가 온다 해도 인생은 살 가치가 있습
　　　　니다.
　　　　후회만 가득한 과거와 불안하기만 한 미래 때문에 지금을 망치지 마세요.
　　　　오늘을 살아가세요. 눈이 부시게! 당신은 그럴 자격이 있습니다.
　　　　누군가의 엄마였고, 누이였고, 딸이었고 그리고 나였을 그대들에게….

만든 사람들

극본　이남규

극본　김수진

연출　김석윤

책임프로듀서　김지연

조연출　고혜진, 이태경, 우아름

제작　박준서

제작총괄　임병훈

프로듀서　정승순

제작PD　김성아, 이예슬

라인PD　윤채은, 하성범

촬영감독　장남철, 정진광, 김홍중, 정해근

촬영 1st　소홍섭, 이동길, 신수아

촬영팀　나윤영, 주경철, 송건호, 백승원,
　　　　박관용, 이래빈

DIT Team　[DeLOG] 김광환, 조형민,
　　　　장아름

조명감독　[상록프로덕션] 조득상

조명 1st　유광희

조명팀　이성재, 진시암, 송승민, 김영은

발전차　[민] 하동형

세트조명　[씨네럭스] 양경식

동시녹음　[사운드베스트] 김명우, 최현우,
　　　　김다빈

그립　[영상뱅크] 곽경무, 송지훈

지미집　[레인보우] 홍경신

캐스팅디렉터　최철웅, 임아름

보조출연　[레오폴드TNS] 이현우, 서홍선

무술감독　[LUCY엔터테인먼트] 류현상

무술지도　김탁호

미술감독　[에이제이아트] 안정훈

미술팀　장나송이, 최미라

미술팀　김현혜, 김신념, 신주아, 서혜림

세트제작　[아트레이드] 남성주

세트실장　고봉주, 이호준, 유재영

세트팀　김정식, 전창희, 정세훈, 임상철,

임현묵, 김동섭, 박여춘, 이재우

작화 [yellow] 양훈섭

작화팀 민상동, 임준경

스튜디오 원방스튜디오

소품[창] 현창조

소품팀 김현순, 강동영, 윤효섭

의상 [마르미] 오상진, 추지영, 유수빈

분장미용 차민정, 이순옥, 최소영, 김태령

특수효과 [에이스이펙트] 전건익, 최명선

버스 [동백관광] 방환성

연출봉고 [건아이글스] 김동현

제작봉고 [건아이글스] 허 철

카메라봉고 [건아이글스] 홍성원

의상차량 신호식

분장차량 최현순

특수차량/렌트카 [금호클래식카] 윤정욱,
　　　　　　　　 김성민, 김용기

렉카 [B.G.K] 강대윤

편집 임선경

가편기사 오윤서, 이지은

편집보조 조혜인

음악 [씨네브로노트]

작곡 김형석, 류영민, 노건호, 김지혜

음악편집 서성원, 김지윤

OST 제작 김종민, 심효식, 전혜린

VISUAL EFFECTS [GIANTSTEP]

Executive Producer 하승봉, 이지철

VFX Supervisor 정성욱

Compositor Lead 선동균

Compositor Arist 김장혁, 박지웅, 주성현,
　　　　　　　　 최장우, 주현민, Tanirma
　　　　　　　　 Sutanto, 최봉진, 성정석,
　　　　　　　　 양아영

RAF 동은철, 최민우, 이종혁, 김윤정,
　　 조규상

색보정 [Dexter The Eye] 김일광, 김자남

Sound Design [WAVELAB]

Sound Supervisor 이성진

Re-Recording Mixer 한명환

Sound Coordintor 송윤재

Sound Effect Supervisor 정지영

Sound Effect Designer 남지은

Sound Effect Editor 박지혁

ADR Mixer 정지영

Foley Mixer 최완규

Foley Artist 정성권

Mixing StageWAVELAB Studio

종합편집 [JTBC 미디어텍] 이용직

기술지원 [JTBC 기술기획팀] 이석호,
            박연옥, 김태근, 김보경 ,박진우

홍보대행 [피알제이] 박진희, 황유영,
            조으리

스틸 [블리스콘텐츠] 김호빈

메이킹 [블리스콘텐츠] 유근형

포스터사진 김영준

포스터/로고디자인 [스푸트닉] 이관용,
                우민혁, 연다솔, 장승민,
                백정민

대본인쇄 [슈퍼북]

미용자문 [미가형제직업전문학교]

JTBC 프로듀서 박우람, 김경태

JTBC 홍보 정지원, 허은진

JTBC 마케팅 한정은, 이혁주, 강세연

JTBC 웹기획 장은영

JTBC 웹운영 상정은

JTBC 메이킹 편집 장미영, 최재미

JTBC 웹디자인 박다연, 강미경

JTBC 마케팅솔루션 성치열, 이종민, 김은란,
                오승환, 권수영

JTBC 제작행정 우상희, 김선이 ,박민경

보조작가 김효신, 이예림

섭외 이재우, 이경환, 이동구

SCR 노주현

FD 장용수, 김선영, 이태석, 노종현

눈이 부시게 2

1판 1쇄 인쇄 2023년 2월 7일
1판 1쇄 발행 2023년 2월 23일

지은이 이남규, 김수진

발행인 양원석 **편집장** 차선화 **책임편집** 김애영
디자인 김유진, 김미선
영업마케팅 양정길, 윤송, 김지현, 정다은, 박윤하

펴낸 곳 ㈜알에이치코리아
주소 서울시 금천구 가산디지털2로 53, 20층(가산동, 한라시그마밸리)
편집문의 02-6443-8861 **도서문의** 02-6443-8800
홈페이지 http://rhk.co.kr
등록 2004년 1월 15일 제2-3726호
ISBN 978-89-255-7689-3 (04680)
      978-89-255-7688-6 (세트)